Y CLWB CYSGU CŴL AR NOS WENER 13

Louis Catt

Addasiad Siân Lewis

GOMER

Argraffiad cyntaf—2000
Ail argraffiad—2003

Hawlfraint y testun: © Louis Catt, 1998

ⓗ y testun Cymraeg: Siân Lewis, 2000 ©

ISBN 1 85902 910 8

Teitl gwreiddiol: *Sleepover on Friday 13th*

Cyhoeddwyd gyntaf ym Mhrydain yn 1998
gan HarperCollins Publishers Ltd.,
77-85 Fulham Palace Road, Hammersmith
Llundain, W6 8JB

Mae Louis Catt wedi datgan ei hawl dan
Ddeddf Hawlfraint, Dyluniadau a Phatentau 1988
i gael ei gydnabod fel awdur y llyfr hwn.

Dymuna'r cyhoeddwyr gydnabod cymorth
Adrannau Cyngor Llyfrau Cymru.

Argraffwyd gan
Wasg Gomer, Llandysul, Ceredigion SA44 4QL

Gwahoddiad i gyfarfod erchyll o'r Clwb Cysgu Cŵl

1. Sach gysgu
2. Gobennydd
3. Pyjamas neu ŵn nos (coban i Sara!)
4. Slipers
5. Brws dannedd, pâst dannedd, sebon ac yn y blaen
6. Tywel
7. Tedi
8. Stori iasoer
9. Bwyd ar gyfer y wledd ganol nos: siocled, creision, losin, bisgedi. Beth bynnag rwyt ti'n hoffi.
10. Tortsh
11. Brws gwallt
12. Pethau gwallt – bôbl, band gwallt, os wyt ti'n eu gwisgo nhw
13. Nicers a sanau glân
14. Dyddiadur y Clwb a cherdyn aelodaeth

PENNOD
UN

On'd yw e'n beth od? Dydd Iau y 7ed neu ddydd Llun y 24ain—dwyt ti byth yn sylwi ar y ddau ddyddiad yna, wyt ti? Wel, heblaw dy fod ti'n cael dy ben-blwydd neu rywbeth tebyg. Fyddet ti byth yn anghofio dy ben-blwydd, fyddet ti? Na! Dim byth—na finnau chwaith. Mehefin y 9ed yw dyddiad fy mhen-blwydd i. Mae'n amser gwych i gael pen-blwydd, achos mae hanner ffordd rhwng dau Nadolig.

A fyddwn i byth yn anghofio pen-blwyddi fy ffrindiau yn y Clwb Cysgu Cŵl chwaith. Bydden nhw'n siŵr o'm hatgoffa i ta beth! Beth petawn i'n anghofio pen-blwydd Ali? Er mai hi yw fy ffrind gorau, byddai Ali'n fy lladd! Erbyn meddwl, byddwn i'n ei lladd *hi*, petai hi'n anghofio fy mhen-blwydd *i*—ond bydden ni'n ffrindiau eto chwap. Dyna sut ydw i ac Ali—byth a hefyd yn dadlau, ond bob amser yn ffrindiau. Mae Ali'n dweud ein bod ni'n dadlau am mai Gemini yw fy arwydd i ac felly dwi bob amser rhwng dau feddwl. (Dyw hynny ddim yn wir!) A dwi'n dweud mai arni hi mae'r bai am mai Aries yw ei harwydd hi, ac felly mae'n hwrdd styfnig. Wel, dyw hi ddim yn styfnig—ond mae hi yn bosi . . .

Mae gan Mel bedwar brawd, felly mae rhywun yn cael pen-blwydd byth a hefyd yn ei thŷ hi. Mae mam Mel yn gwneud cacennau arbennig! Roedd hi'n arfer bod yn athrawes goginio, ac mae hi'n dda dros ben yn y gegin. Pan oedd Ben, brawd bach Mel, yn bedair oed, fe wnaeth mam Mel gacen siocled ar siâp gorila! Dyna'r gacen fwya iymi fwytais i erioed! Mae pen-blwydd Mel ym mis Hydref. Libra yw ei harwydd hi. Dyna pam mae hi bob amser yn cŵl ac yn cadw'r ddysgl yn wastad, meddai Ali. Mae hi'n hoff o'i brodyr, hyd yn oed!

Dwi ddim yn gwybod a fyddwn i'n hoffi cael pedwar brawd. "Dim prob," meddai Mel.

Efallai ei bod hi'n iawn. Mae gen i ddwy chwaer hŷn—Rebecca a Bethan. Cred ti fi, does dim yn waeth na chael dwy chwaer, yn enwedig os yw un ohonyn nhw'n debyg i Bethan.

Does gan *neb* chwaer mor erchyll â hi. Dwi'n ei galw hi "Bethan Bwystfil"—ac mae hwnna'n enw caredig. Dwi'n gorfod rhannu stafell wely â hi—dyna'r peth gwaetha—a dyw hi'n gwneud dim ond ffysan a grwgnach. Os ydw i'n gadael un hosan ar ei hochr hi, mae hi'n mynd yn *lloerig*. Ac mae hi mor annheg, mae'n gwrthod gadael i fi gadw fy llygoden fawr yn fy stafell! Dwi wedi dweud wrthi bod hynna'n achos o greulondeb i anifeiliaid, ond dyw hi ddim yn gwrando. Mae hi'n dweud, "O Helen, mae'n bryd i ti dyfu lan!" gyda rhyw olwg stiwpid ar ei hwyneb. Mae hi'n gwybod 'mod i'n casáu cael fy ngalw'n Helen. Mae pawb yn y Clwb Cysgu Cŵl yn fy ngalw i'n Sam, am mai Samuel yw fy nghyfenw.

Mae Ffi'n cael ei phen-blwydd yn fuan ar ôl gwyliau'r haf ac mae hi'n dechrau cynllunio ei chacen cyn gynted ag y byddwn ni'n ôl yn yr ysgol . . . heb sôn am ei hanrhegion i gyd! Un tro fe gafodd hi gacen â rhosynnau bach pinc a rubanau piws drosti i gyd. "Dwi'n *siŵr* y bydd hi'n gwisgo rubanau piws yn ei gwallt hefyd," meddai Ali—ac roedd hi'n iawn! Roedd mam Ffi wedi clymu rubanau pinc a phiws am ei hanrhegion hefyd—a dyfala pa liw oedd y balwnau! Rhaid bod mam Ffi wedi bod wrthi am oesoedd yn chwilio am y lliwiau iawn . . . ond dyna sut un yw hi. A Ffi hefyd, dwi'n meddwl. Virgo yw Ffi a dyna'r rheswm pam, falle. Mae Virgos eisiau gwneud yn siŵr bod popeth yn berffaith, yn ôl Ali.

Sara yw pumed aelod y Clwb Cysgu Cŵl. Mae ei phen-blwydd hi ar Orffennaf 15. Hi yw'r ola, a'r nesa ata i. Mae mam Sara'n gofalu bod ei phen-blwydd yn ddiwrnod arbennig iawn. Mae hi'n ofni bod Sara'n cael llai o sylw na'i brawd a'i chwaer, dwi'n meddwl—felly mae'n gwneud iawn am hynny ar ddydd ei phen-blwydd. Ro'n i ac Ali'n siarad am hyn y dydd o'r blaen, ac mae'r ddwy ohonon ni'n meddwl bod Sara'n haeddu cael pen-blwydd arbennig.

Ond aros funud, dwi ar goll. Pam o'n i'n

siarad am benblwyddi? O, dwi'n cofio! Ro'n i'n sôn am ddyddiadau. Fel arfer does neb yn sylwi ar y dyddiad . . . heblaw ei bod hi'n ddydd Gwener y trydydd ar ddeg. *Aaaaaaa!* Mae pawb yn sylwi ar *hwnnw.* A dyna'r dyddiad y cawson ni gyfarfod *erchyll* o'r Clwb yn ein tŷ ni. Fe wna i sôn amdano mewn munud . . . roedd e'n wych!

Wyt ti'n ofergoelus? Dwi ddim, fel arfer— ond mae dydd Gwener 13 yn gyrru ias i lawr dy gefn, on'd yw e? Ac os wyt ti'n gollwng cwpan ar y llawr, neu'n baglu, neu'n torri rhywbeth, rwyt ti'n rhoi'r bai ar y dyddiad anlwcus, hyd yn oed os wyt ti'n baglu'n amlach o lawer ar ddiwrnodau eraill.

Mae e hefyd yn ddiwrnod da i ddweud storïau iasoer ac, fel rwyt ti'n gwybod, dwi'n *dwlu* ar storïau iasoer. Dwi wedi clywed rhai storïau gwir hefyd, achos mae Dad yn ddoctor ac weithiau mae e'n sôn am yr hen ddyddiau. Wyddet ti fod doctoriaid yn arfer llifio coesau pobl pan oedden nhw'n nhw'n dal ar ddihun? Wir! Roedd y cleifion yn gorfod cnoi'n galed ar ddarn o hen ledr. Ac ar ôl gorffen, roedd yr hen goes yn cael ei thaflu i fwced—ac erbyn diwedd y dydd roedd y bwced yn llawn o goesau!

Wyt ti'n teimlo iasau'n rhedeg i lawr dy gefn? Dyna sut o'n i'n teimlo pan ddwedodd Dad wrtha i—ond dwi'n mynd i fod yn ddoctor pan fydda i'n hŷn, felly rhaid i fi gyfarwyddo â phethau fel'na. Dwi'n ymarfer drwy wylio rhaglenni ysbyty ar y teledu—a hyd yn oed os yw'r lle'n morio o waed, dwi wrth fy modd!

Soniais i wrth y Clwb Cysgu Cŵl am y bwcedaid o goesau, a dwedodd Ali mai dyna'r stori orau glywodd hi ers tro. Ond dwedodd Ffi ei bod hi'n ych-a-fi—dyw Ffi ddim yn hoffi pethau fel 'na. Serch hynny fe ddwedodd hi'r stori wrth ei brawd bach. Ac wedyn fe ges i lond pen gan ei mam am fod Twm wedi dihuno yn y nos a sgrechian dros y lle.

Dwi'n meddwl mai stori'r goes wnaeth i Ali a fi feddwl am nos Wener 13. Syniad Ali oedd cael cyfarfod o'r Clwb y noson honno, ond fy syniad i oedd cael cyfarfod arbennig iawn . . . wel, allen ni ddim colli'r cyfle, allen ni? Hwn fyddai'r dydd Gwener 13 mwya dychrynllyd ac erchyll erioed!

Roedd Mel a Sara'n meddwl ei fod yn syniad gwych. Doedd Ffi ddim—wrth gwrs. "Fydda i ddim yn gallu dod," dwedodd, "achos dwi'n mynd i gael te gyda Dad a'r babi newydd ar ddydd Gwener."

Syllodd Ali arni. "Ond rwyt ti wastad gartre erbyn tua hanner awr wedi chwech," meddai.

Dechreuodd Ffi wingo ac aeth ei hwyneb yn binc. "Falle bydd yn rhaid i fi aros yn hwyrach," meddai.

Ysgydwodd Ali ei phen. "Ffion Sidebotham," meddai, "oes ofn arnat ti?"

Aeth wyneb Ffi yn fwy a mwy pinc. "Na, dim o gwbl!" meddai, ond roedd ei llais yn crynu braidd.

Mwythodd Mel ei braich. "Bydd popeth yn iawn," meddai. "Fe gawn ni hwyl."

"Lot o hwyl," meddai Ali. "Hwyl *dychrynllyd*!"

"Does dim ofn arna i!" meddai Ffi, ond roedd hi'n dal i swnio'n fwy gwichlyd nag arfer.

"Wyt ti'n dod 'te?" gofynnais.

"Wrth gwrs," meddai. "Dim ond i chi beidio â mynd yn rhy wyllt."

Dechreuais chwerthin. Allwn i ddim help! Dwedais wrth Ffi ei bod hi'n swnio'n union 'run fath â'i mam. Cododd Ffi ei thrwyn a dwedodd nad oedd hi ddim yn swnio fel ei mam, ond roedden ni i gyd yn gwybod ei bod hi. Erbyn meddwl, dylen ni fod wedi cymryd mwy o sylw ohoni . . . ond, wrth gwrs, wnaethon ni ddim!

PENNOD DAU

Daeth pawb i'n tŷ ni ar ôl yr ysgol drannoeth, er mwyn i ni gael gwneud cynllun. Cynllun *Gwefreiddiol* Gwener 13! Casglon ni becyn o fisgedi siocled, creision a chan o Côc yr un, ac yna sleifio i'm stafell wely i. Roedd Bethan Bwystfil allan, felly fe dynnon ni'r dwfe a'r gobenyddion oddi ar ei gwely hi a 'ngwely i a gwneud pentwr mawr cysurus. Yna fe swation ni ynddyn nhw.

"Rhaid i ni wneud rhestr," meddai Ali. "Oes gen ti feiro?"

Roedd pwt o hen bensil o dan fy ngwely. Mae 'na le cyffrous o dan fy ngwely i. Weithiau mae'r pethau rhyfedda'n dod i'r golwg, a dwi'n gwybod nad fi sy wedi eu rhoi nhw yno.

Er enghraifft, unwaith fe gollodd Rebecca ei thrênyrs gorau. Ac fe wnaeth hi fôr a mynydd o'r peth—yn union fel petai hi wedi colli llond sach o drysor. Ac roedd hi'n mynnu edrych arna i, er ei bod hi'n gwybod bod fy nhraed i'n llai na'i rhai hi. Wel, ychydig bach yn llai. Dwi'n gorfod gwisgo dau bâr o sanau os ydw i am wisgo sgidiau Bec.

Yn y diwedd roedd hyd yn oed Dad wedi gorfod cynnig helpu ac fe drefnodd e helfa *enfawr*. A dyfala ble oedd y trênyrs! Rwyt ti'n iawn. O dan fy ngwely i! Dwedais i wrth Dad eu bod wedi cerdded yno, ond y cyfan ddwedodd e oedd "Hm!"

Yn anffodus, wrth chwilio am y trênyrs, roedd Mam wedi darganfod dyddiadur gwaith cartre Bethan o dan fy ngwely, a dwedodd y Bwystfil Blewog mai arna *i* oedd y bai! Alli di gredu? Wnes i 'rioed gyffwrdd â'i hen ddyddiadur hi, a phetawn i'n gwybod ei fod dan y gwely, byddwn i wedi ei roi'n ôl iddi. Dwi ddim eisiau *unrhyw beth* sy'n perthyn i Bethan yn fy hanner i o'r stafell.

Yna dechreuodd Dad achwyn am y pethau

eraill . . . dau bâr o jîns (brwnt), un crys chwys (crychlyd), un sachaid o fwyd llygod (gyda thwll bach bach yn y top), prawf mathemateg wythnos ddiwethaf (wedi ei wasgu'n bêl), hanner bar o siocled (wedi toddi), sawl darn o bapur, can Côc gwag, un hosan las lân, un hosan wyrdd ddrewllyd, un sliper, tri beiro, hen rwbiwr . . . a chasgliad diddorol iawn o fflwff.

Fe ges i lond pen gan Mam hefyd, ac roedd rhaid i Bethan rwgnach yn ddi-stop. Grwgnach a grwgnach. Yn bersonol, welwn i ddim byd o'i le.

Ond 'na fe, dwi ar goll eto. Ro'n i ar ganol dweud wrthot ti am y cyfarfod o'r Clwb. Ta beth, fe ges i afael ar y pensil a thorrais ddarn o bapur allan o hen lyfr nodiadau. Wedyn dechreuon ni gynllunio. Dyma beth sgrifennodd Ali:

1. Cael caniatâd mam Sam i gynnal cyfarfod.

2. Cael gwared ar Bethan.

Ochneidiais yn uchel pan sgrifennodd hi rif dau. Dim gobaith! Pan fydd ffrind yn dod i aros gyda Bethan, dwi'n ddigon parod i roi fy

17

ngwely iddi a symud i stafell Rebecca. Mae llond lle o bethau diddorol gan Rebecca, felly dylai Bethan fod yn falch iawn o'r cyfle i fusnesa . . . ond, na. Mae hi'n casáu symud mas o'i stafell, ac mae hi'n casáu fy ffrindiau hefyd.

"Falle bydd hi i ffwrdd y noson honno," meddai Ffi'n obeithiol.

Dechreuais i chwerthin. "Mae'n nos Wener 13. Falle bydd hi mas yn dychryn plant bach!"

"Neu'n codi ofn ar hen wragedd!" meddai Mel.

"Neu'n suro'r llefrith ar garreg y drws," meddai Sara gan chwerthin.

"Bydd pob llofrudd yn rhedeg adre i guddio yng nghôl ei fam-gu!" sgrechiodd Ali.

Roedden ni yn ein dyblau. Roedden ni'n rholio ar y llawr. Cwympodd rhai o'r caniau Côc a malodd y creision dros y carped, ond allen ni ddim stopio chwerthin.

O'r diwedd codon ni ar ein heistedd, a chwiliais i am y darn papur. Roedd e'n wlyb iawn, felly fe dorrais ddarn arall o'r llyfr a dechrau eto.

"Beth am y bwyd?" gwaeddais.

Gwenodd pawb ar ei gilydd. Fel rwyt ti'n gwybod, bwyd yw hoff bwnc y Clwb Cysgu Cŵl.

"Sbageti gwyrdd!" meddai Ali.

"Pitsa gwyrdd!" meddai Mel.

"Pryfed cop wedi eu gwneud o jeli gwyrdd!" sgrechiodd Sara.

"A mwydod jeli gwyrdd!" meddai Ffi gan grynu.

"Beth am wneud llond bowlen fawr o slwtsh gwyrdd!" meddai Ali a'i llygaid yn disgleirio. "Gallen ni roi'r corynnod a'r mwydod yn y slwtsh—ac wedyn eu bwyta heb ddefnyddio'n bysedd!"

"Ie!" dwedais. "Cŵl!"

Newydd ddarganfod slwtsh gwyrdd ydyn ni. Wel, Mel ddyfeisiodd e, a dweud y gwir. Roedd Sara draw yn nhŷ Mel ac roedd y ddwy yn helpu mam Mel i wneud jeli gwyrdd. Roedd Mel i fod i droi'r ciwbiau jeli yn y dŵr poeth nes iddyn nhw doddi, ond roedd hi'n siarad gyda Sara, felly wnaeth hi ddim troi digon. Wedyn ychwanegodd hi ormod o ddŵr oer.

"Wps!" meddai Mel. "O wel, sdim ots," a

19

dyma hi'n arllwys y cyfan i'r fowlen, lle'r oedd y jeli i fod i galedu . . . ond wnaeth e ddim! Roedd e'n dal yn llithrig ac—wel, yn slwtshlyd. Roedd lympiau o jeli yn nofio ar yr wyneb. Pan dynnodd Mel a Sara nhw allan a'u bwyta, roedden nhw fel rwber—yn union fel losin jeli. Roedd Ben, brawd bach Mel, yn meddwl eu bod yn ych-a-fi, ond roedd Mel yn meddwl eu bod yn arbennig. A Sara hefyd! Bwyton nhw'r cyfan—drwy welltyn! Byth ers hynny rydyn ni wedi bod yn bwyta slwtsh gwyrdd. Mae'n un o ryseitiau arbennig y Clwb Cysgu Cŵl!

"Beth arall?" gofynnodd Mel. "Pa fwyd arall sy'n erchyll?"

Ro'n i'n chwarae â'r pensil. "Mm . . . dwi ddim yn gwbod."

"Iawn." Tynnodd Ali'r pensil o'm llaw a throi aton ni. "Beth arall allwn ni wneud? Sut gallwn ni gael parti gwirioneddol erchyll?" Sgrifennodd *Cynlluniau!* ar y papur, ac oddi tano tynnodd lun wyneb arswydus gyda dannedd hir, miniog.

Crynodd Ffi. "Dydyn ni ddim eisiau mynd yn rhy wyllt . . ."

Dechreuodd pawb edrych ar ei gilydd, a chaeodd Ffi ei cheg yn dynn.

"Maglau ffŵl!" dwedais. "*Booby traps* yw'r rheiny. Dylen ni gael maglau ffŵl! A phob math o synau cas!"

Rhoddodd Ali sgrech uchel, oerllyd. Er ei bod hi'n eistedd yn fy ymyl gyda thrwch o friwsion siocled dros ei hwyneb . . . teimlais i ryw ias rhyfedd yn rhedeg i lawr fy asgwrn cefn. Gwichiodd Ffi, a chydiodd Mel a Sara yn dynn yn ei gilydd.

"Waw!" dwedais. "Falle gallwn ni dy recordio di! Bydd hwnna'n swnio'n arswydus iawn yn y nos—"

Ches i ddim cyfle i orffen. Sgrechiodd Ali eto a gafael yndda i. "Da iawn, Sam! Mae hwnna'n syniad gwych! Fe wnawn ni dâp erchyll, yn llawn o sgrechiadau a nadau!"

"A chrawcian arswydus!" gwaeddodd Sara.

"A sŵn traed yn llusgo'n araf dros y llawr!" sgrechiodd Mel.

Roedd hyd yn oed Ffi'n dechrau cael blas. Blas ar ias!

Roedden ni mor gyffrous, chlywson ni mo'r drysau'n clepian. Roedden ni i gyd yn neidio lan a lawr ar fy ngwely a finnau'n chwifio gobennydd uwch fy mhen—pan ruthrodd Bethan drwy'r drws. Arni hi oedd y bai am gerdded yn syth i mewn i'r gobennydd.

"Wwwwwch!" Gwnaeth Bethan sŵn tagu rhyfedd a disgynnodd fel sach ar ei gwely. Roedd hi'n edrych mor ddoniol, allen ni ddim stopio chwerthin.

Trueni bod Mam yn sefyll y tu ôl iddi. Roedden ni wedi bwriadu cael gwared o'r creision a'r briwsion—wir!—ac, wrth gwrs, roedden ni'n mynd i ail-wneud y gwelyau. Ond—wyt ti wedi sylwi?—does neb byth yn rhuthro i mewn i dy stafell pan fydd pobman fel pìn mewn papur ac yn hollol lân. Na. Maen nhw'n mynnu rhuthro i mewn pan fydd y lle'n siang-di-fang. Ac roedd fy hanner i o'r stafell yn hollol siang-di-fang—a doedd hanner Bethan ddim llawer gwell.

Fe dacluson ni'r stafell. Roedd yn rhaid i ni. Safodd Mam yn y drws a'i breichiau ymhleth nes oedd popeth yn ôl yn ei le. Ac roedd Bethan yn cyfarth arnon ni! Ond drwy lwc anfonodd Mam hi i ateb y ffôn a ddaeth hi ddim yn ôl am oesoedd.

Wnes i ddim sôn wrth Mam am gyfarfod y Clwb. Doedd hi ddim yn adeg gyfleus! Ar y pryd eisiau cael gwared ar bawb oedd hi ac NID eu cael i aros dros nos. Ond dim ots! Roedd hi'n siŵr o roi caniatâd i ni yn y diwedd, hyd yn oed os byddai'n rhaid i fi gynnig golchi'r llestri neu wneud rhyw waith diflas arall am wythnos gron. Hwn fyddai'r cyfarfod gorau erioed—yn BEN . . . DANT! —dim ond i ni ofalu na fyddai Bethan yn cael cyfle i wthio'i thrwyn i mewn a sarnu popeth.

PENNOD TRI

Ar ôl i'r criw fynd adre, es i'n ôl i'r tŷ. Ro'n i'n disgwyl gweld Bethan yn sgrechian a chael sterics—ac yn rhoi'r bai i gyd arna i. Ro'n i'n barod amdani—ond ddigwyddodd dim byd! Roedd hi yn y gegin yn siarad â Mam, a phan es i heibio fe gododd ei llaw arna i. Agorodd fy ngheg led y pen. Os clywaist ti *glec* fawr, sŵn fy ngên yn taro'r llawr oedd hwnnw! Roedd yn rhaid i fi bwyso yn erbyn y wal i ddod dros y sioc. Iawn— dwi'n cyfaddef—fe bwysais yn erbyn y wal i ddod dros y sioc *ac* i wrando ar sgwrs y ddwy yn y gegin. Beth fyddet ti wedi'i wneud?

"Syniad da," meddai Mam wrth Bethan. "Fe wnaiff les i ti aros y nos yn nhŷ dy ffrind—a fydd dim rhaid i chi godi'n gynnar i

24

fynd i'r ysgol chwaith. Fe gei di gasglu dy bethau ar ôl dod adre o'r ysgol, a chael arian i dalu'r bws."

Clec! Am yr eildro mewn dwy funud roedd fy ngên wedi taro'r llawr. Bethan yn mynd i ffwrdd? Gyda ffrind? Ac yna sylweddolais . . . doedd dim rhaid iddi godi i fynd i'r ysgol, meddai Mam. Roedd Bethan yn mynd i ffwrdd nos Wener!

Ro'n i bron â marw eisiau rhedeg yn syth i ffonio Ali a Ffi a Mel a Sara. Ond rywsut neu'i gilydd symudais i 'run gewyn. Rywsut neu'i gilydd llwyddais i aros yn hollol lonydd nes i Mam a Bethan orffen siarad, ac i Bethan fynd yn ôl at y ffôn.

"Efa!" meddai. "Mae Mam yn fodlon. Fe ruthra i adre o'r ysgol i nôl fy mhethau, ac wedyn fe ddalia i'r bws."

Pan oedd Bethan yn ddigon pell i ffwrdd, crwydrais i'r gegin a golwg ddiniwed iawn ar fy wyneb. Roedd Mam yn tacluso, felly penderfynais mai'r peth gorau i'w wneud oedd rhoi cwpan neu ddau yn ôl ar eu bachau. Wedi'r cyfan, ro'n i newydd gael llond pen am fod mor anniben a diofal ac wn i ddim beth arall.

Edrychodd Mam yn amheus iawn arna i. "Hmmm," meddai. "Paid â dweud . . . rwyt ti eisiau cael cyfarfod o'r Clwb fan hyn nos Wener, on'd wyt ti?" Yna fe nodiodd. "Wel, pam lai? Bydd hi'n haws i ti gan fod Bethan i ffwrdd—ond gofala di fod y stafell fel pìn mewn papur cyn iddi ddod yn ôl."

Rhois gusan mawr iddi. "Dwi'n addo!" dwedais, ac ro'n i o ddifri. Cris croes, tân poeth. Wedyn helpais Mam i roi gweddill y llestri i gadw.

Ches i ddim dweud wrth y lleill y noson honno. Dwedodd Mam bod y bil ffôn yn ddiarhebol o uchel o'm hachos i, a newydd siarad â'm ffrindiau o'n i, beth bynnag. Pan ruthrais i mewn i'r stafell gotiau drannoeth a dweud bod popeth yn iawn *a* bod Bethan yn mynd i ffwrdd, sgrechiodd Ali, gwaeddodd Mel "Hwrê!" a gwenodd Sara o glust i glust. Dim ond symud o un droed i'r llall wnaeth Ffi.

"Beth sy'n bod?" gofynnais. "Dwyt ti ddim yn mynd i dynnu'n ôl, wyt ti?"

Rhoddodd Ali bwniad fach iddi. "Dwedest ti dy fod ti'n dod!"

Nodiodd Mel. "Fydd y Clwb ddim 'run peth hebddot ti," meddai.

Edrychodd Ffi mor falch, teimlais i ychydig bach o gywilydd. Falle'n bod ni'n gwasgu'n rhy galed ar Ffi ambell waith.

Yna symudodd o un droed i'r llall eto. "Mam sy'n poeni am y lleidr," meddai. "Mae hi'n meddwl falle dylwn i gysgu gartre."

Syllon ni arni. "Lleidr?" meddai Sara. "Pa leidr?"

"Roedd yr hanes yn *Yr Herald*," meddai Ffi. "Torrodd y lleidr i mewn i dri o dai yr wythnos ddiwethaf ac un tŷ yr wythnos hon. Mae un o'r tai rownd y gornel o'n tŷ ni."

Snwffiodd Ali'n uchel. "Fe fyddi di lawn mor ddiogel yn nhŷ Sam," meddai. "Wedi'r cyfan, dim ond lleidr yw e, nid llofrudd."

Cochodd Ffi'n waeth fyth. "Ond dyw e ddim yn ddiogel—mae Mam wedi dweud. Mae hi'n dweud bod lladron yn aml yn lladd pobl sy yn eu ffordd."

Snwffiodd Ali eto, ond mwythodd Mel fraich Ffi. "Gallen ni alw amdanat ti," meddai. "Ac fe ofynna i i Mam fynd â'r ddwy ohonon ni i dŷ Sam yn y car."

Edrychodd Ffi'n hapusach o lawer. "Byddai hynny'n grêt," meddai.

Doeddwn i ddim yn talu llawer o sylw. Roedd pethau'n gwella o un funud i'r llall. Dydd Gwener 13—dim Bethan—cyfarfod erchyll o'r Clwb—a lleidr yn crwydro'r dre! Roedden ni ar ben ein digon.

"Hei!" dwedais. "Falle gallen ni chwilio am y lleidr a'i ddal! Oes gwobr, Ffi?"

Ces i broc gan Mel. "Ca' dy ben!" meddai, achos roedd Ffi'n syllu arna i fel cwningen yng ngolau car. Doedd hi ddim yn hoffi'r syniad o ddal lleidr—dim o gwbl!

"Dim ond jôc," dwedais, ond wnes i ddim edrych ar Ali. Byddai hi'n cytuno â fi, dwi'n siŵr. Ond chawson ni ddim cyfle i drafod y Clwb, achos canodd y gloch. Roedd hi'n amser cofrestru.

Amser cinio fe ddaethon ni i gyd at ein gilydd i drafod y bwyd, ac roedd Ffi mewn gwell hwyliau o lawer. Dwedodd y byddai hi'n gwneud cacen gydag eisin gwyrdd arni, a phan ddwedodd Sara, "Gobeithio y bydd hi'n wyrdd y tu mewn hefyd," chwarddodd Ffi a dweud, "Wrth gwrs y bydd hi."

Tybed a fydd gan Ffi rubanau gwyrdd hefyd, meddyliais.

"Fi sy'n gwneud y sbageti gwyrdd!" meddai Sara. "Mi ro i gyrans yn y sbageti a smalio mai pryfed wedi marw ydyn nhw."

"Neu gorynnod heb goesau!" meddai Ffi, a chwarddodd pawb.

Dwedodd Mel bod gyda hi syniad am bitsa dychrynllyd. "Pa syniad?" meddai Ali. Ond ysgwyd ei phen wnaeth Mel a gwrthod dweud. Mae Mel yn gogyddes arbennig, felly wnaethon ni ddim holi rhagor. Byddai pitsa Mel yn werth disgwyl amdano, beth bynnag.

"Dwi'n fodlon gwneud y slwtsh gwyrdd a'r corynnod a'r mwydod jeli," dwedais. "Beth amdanat ti, Ali?"

Rholiodd Ali ei llygaid. "Cewch chi weld," meddai Ali. "Ewinedd traed lleidr ac ystlum a neidr!"

"Iych!" meddai Ffi. Ond roedd golwg ddigon hapus arni.

Wyt ti'n cofio fi'n dweud wrthot ti am fy ngheg yn agor—nes o'n i'n edrych fel pysgodyn aur—a 'ngên yn disgyn i'r llawr? Wel, fe ddigwyddodd eto. Wrth i fi stryffaglio drwy'n drws ffrynt ni ar ddiwedd y prynhawn, roedd Rebecca a merch ddierth ar eu ffordd allan.

"Hai," dwedais—heb ddisgwyl ateb, wrth gwrs. Pan fydd un o'i ffrindiau o gwmpas, mae Rebecca'n esgus 'mod i'n anweledig neu mae'n fy nhrin fel plentyn chwech oed ac yn siarad â fi fel hen fodryb. Tro'r hen fodryb oedd hi y diwrnod hwnnw, drwy lwc.

"Hai," meddai gan dynnu ei llaw drwy fy ngwallt. Mae hi'n gwybod 'mod i'n casáu hynny, ond mae'n dal i wneud. "Edrych, Miri—dyma fy chwaer fach, Helen."

Fy nhrin i fel pryfyn wnaeth Miri. "O," meddai, gan edrych i lawr ei thrwyn.

"Mae gyda hi griw o ffrindiau bach doniol," meddai Rebecca. "Mae gyda nhw glwb ac maen nhw'n cysgu yn nhai ei gilydd. Ciwt, ontefe?"

Doedd Miri ddim yn meddwl ei fod e'n giwt o gwbl, ond fe nodiodd serch hynny. "Ie. Ciwt iawn."

Tynnodd Rebecca'i llaw drwy fy ngwallt eto. "Mwynha dy hun nos Wener, chwaer fach," meddai. "Dwi'n mynd i aros gyda Miri dros y penwythnos." Ac i ffwrdd â hi a'r ferch ryfedd.

Syllais ar eu holau a 'ngên yn llusgo ar y llawr. Roedd Rebecca'n mynd i ffwrdd am *benwythnos cyfan.* Waw! Ac yna fe ges i syniad, a dechreuodd y syniad dyfu a thyfu yn fy mhen; petawn i'n rhoi pethau Bethan yn stafell Rebecca, gallwn i glirio fy stafell i! Am y tro cynta erioed, fe fyddai gen i fwy na digon o le!

Dyna deimlad gwych! Fydden ni ddim yn gorfod dioddef Bethan yn gweiddi arnon ni i beidio â chyffwrdd. Fydden ni ddim yn gorfod gwthio tair sach gysgu i'r darn cul rhwng fy ngwely i a'i gwely hi. Gallwn i wthio gwely Bethan yn erbyn y wal, gwthio'r cwpwrdd tuag yn ôl . . . neu droi'r gwelyau i wynebu'r ffordd arall . . . rhedais i ffonio Ali a gofyn iddi ddod draw yn gynnar nos Wener i helpu.

Roedd Ali mor falch â fi. Yna fe ddwedodd hi rywbeth. Ro'n i wedi cael yr un syniad, ond fyddwn i ddim wedi mentro dweud gair. Falle 'mod i'n rhy ofergoelus—wedi'r cyfan roedd hi bron yn nos Wener 13. Ond yna meddai Ali'n blwmp ac yn blaen:

"Rydyn ni'n llawer rhy lwcus. Diwrnod anlwcus yw Dydd Gwener 13 i fod."

Felly dwi'n beio Ali am bopeth ddigwyddodd o hynny ymlaen.

PENNOD PEDWAR

Dihunais i'n gynnar iawn ar ddydd Gwener 13. Roedd Bethan yn dal i gysgu'n sownd a'i cheg ar agor. *Iych!* Ro'n i'n teimlo fel taflu rhywbeth i mewn iddi, ond wnes i ddim. Wedi'r cyfan roedd hi'n mynd i ffwrdd ar noson y Clwb. Os o'n i'n garedig tuag ati, falle yr âi hi i ffwrdd eto . . .

Penderfynais ddechrau paratoi rhai o'r maglau ffŵl a'r triciau ar gyfer y noson. Roedd Ali'n dod adre gyda fi ar ôl yr ysgol i recordio'r tâp erchyll ac i helpu i symud y celfi . . . ond waeth i fi ddechrau ar y gwaith. Ta beth, ro'n i am gynllunio rhywbeth ar gyfer Ali! Sleifiais mas o'r gwely a chripian i'r gegin ar flaenau fy nhraed.

Bues i'n chwilota yn y gegin. Am beth? Am

rywbeth i ddychryn Ali! O, dwi'n gwybod mai hi yw fy ffrind gorau—ond fyddai Ali ddim yn grac. Byddai hi wrth ei bodd. Ta beth, roedd gen i deimlad y byddai gyda hi syrpreis neu ddau i fi hefyd.

Syllais ar y cypyrddau, gan obeithio cael syniad. Ches i ddim un, felly agorais rai o'r drysau ac edrych i mewn. Blawd? Eitha defnyddiol. Suryp gludiog? Falle. Agorais becyn o resins a bwyta dyrnaid. Wrth edrych arnyn nhw, dechreuais giglan—roedden nhw'n edrych fel baw llygod! Byddai'n hwyl rhoi cwpwl bach yng nghornel fy stafell . . . falle twyllwn i Ffi am funud neu ddwy! Ond sut gallwn i dwyllo Ali? Byddai hi'n siŵr o amau pob drôr a chwpwrdd yn fy stafell . . . roedd angen syniad mwy cyfrwys o lawer ar ei chyfer hi! Bwytais ragor o resins a dringo ar ben stôl er mwyn cael edrych yn y cwpwrdd top—ac yna . . .

Wwwwwwwwsh!

Bues i bron â marw o ofn. Hedfanodd rhywbeth meddal, llychlyd a blewog yn syth tuag ata i. Cwympais o ben y stôl a disgyn yn glec. Roedd fy nghalon yn curo fel gordd, fy mhennau gliniau fel jeli a'm llygaid yn syllu mewn braw . . . ar fy hen botel ddŵr twym!

Ocê, ocê, dwi'n gwybod mai pethau pinc wedi eu gwneud o rwber yw poteli dŵr twym. Ond pan oeddet ti'n fach, wyt ti'n cofio dy berthnasau'n rhoi potel flewog siâp cath i ti, neu un frown siâp tedi, neu un ddoniol siâp clown? Un Nadolig fe ges i *bedair*! Am siom! Dwi'n casáu poteli dŵr twym, ta beth. Mae arna i ofn y byddan nhw'n byrstio ac yn tasgu dŵr poeth drosta i wrth i fi gysgu.

Felly roedd Mam wedi eu rhoi i gadw. Ac wrth gwrs roedd hon yn un ohonyn nhw. Codais i hi. Cath ddu flewog oedd hi, ond roedd hi'n drewi o lwch—roedd hi wedi bod yn y cwpwrdd top am oesoedd, mae'n rhaid. Y funud honnno goleuodd bwlb enfawr yn fy mhen. Ro'n i wedi cael syniad! Roedd y gath wedi rhoi cymaint o sioc i fi, ro'n i dal i grynu. Felly—hon oedd yr union beth i ddychryn Ali! "Ie!" dwedais. "*Ie! Ie! Ie!*"

Ro'n i'n mynd i roi'r gath yn ôl yn y cwpwrdd yn union fel o'r blaen, pan ges i syniad arall. Cydiais yn y bag blawd ac ysgwyd y blawd drosti i gyd . . . er mwyn i Ali gael mwy o sioc fyth! Yna dringais yn ôl ar y stôl a gwthio'r botel i'r cwpwrdd. Ro'n i'n deall pam ei bod hi wedi neidio allan. Roedd y cwpwrdd mor fach, roedd yn rhaid plygu'r botel yn ei hanner, ac yna fe dasgodd allan fel sbring! Gwenais yn hapus wrth sychu fy nwylo a rhoi'r blawd yn ôl ar y silff.

"Helen? Paid â dweud dy fod ti wedi codi'n gynnar i wneud paned o de i dy hen dad!"

Neidiais fel cwningen, ond wnaeth Dad ddim sylwi ar yr olwg euog ar fy wyneb. Roedd e'n edrych yn grychlyd ac yn gysglyd—fel 'na mae e bob bore. Doeddwn i ddim am iddo holi cwestiynau, felly fe lenwais i'r tegell a nôl y tebot a'r cwpanau heb achwyn. Wedyn fe wnes i dost i'r ddau ohonon ni, es i nôl y papur ac eisteddon ni i gael brecwast gyda'n gilydd.

"Hyfryd iawn!" meddai Dad gan agor ei geg yn flinedig. "Ar ôl hyn bydda i'n barod i wynebu'r diwrnod ofnadwy sy o 'mlaen i. Syrjeri gynta, wedyn galwadau tŷ, a heno mae gen i gyfarfod . . . a fi sy'n cyflwyno'r siaradwr, felly rhaid i fi redeg adre i newid i'm siwt."

"Druan â chi, Dad," dwedais. Ro'n i o ddifri. Mae e'n gweithio'n galed iawn ac weithiau mae'n gorfod rhuthro o un man i'r llall. Mae bywyd doctor yn anodd—ond wnaiff hynny mo'm rhwystro i!

"Edrych wir!" meddai Dad yn sydyn. Roedd e'n darllen y papur. "Lladrad *arall*! Ac yn y stryd nesa aton ni. Wel, gwell i'r lladron gadw draw o'n tŷ ni. Does dim o werth yma ta beth, ond waeth i ni fod yn ofalus."

"Fe wna i ofalu cau'r drysau a'r ffenestri cyn gadael," dwedais. "Ac fe ddweda i wrth Mam am fod yn arbennig o ofalus hefyd."

Ar ôl gorffen fy nhost, es i i'r llofft i baratoi. Roedd Bethan yn methu credu 'mod i wedi codi o'i blaen, ond ddwedodd hi ddim byd cas. Falle 'i bod hi'n teimlo'n garedig am fod ganddi ffrind. Waw, meddyliais. Hyd yn hyn mae hwn yn Ddiwrnod Da Iawn!

Yn ystod y gwasanaeth ro'n i'n meddwl am yr hen gath lychlyd yn neidio ar fy mhen a finnau'n cael sioc. Pan welodd Ali fi'n gwenu, dechreuodd edrych yn od arna i.

"Be sy mor ddoniol?" gofynnodd pan

ddaeth pawb at ei gilydd yn ystod egwyl y bore.

"Dim," dwedais. "Dim ond meddwl am heno."

Rhoddodd Mel wich fach hapus. "Arhoswch i chi gael gweld fy mhitsa i!" meddai. "Helpodd Tom fi—fe gawson ni syniad ffantastig!"

"Mae golwg ryfedd iawn ar fy sbageti i," meddai Sara. "Doedd ganddon ni ddim lliwur gwyrdd, felly mi gymysgais i las a melyn, ond dydy o ddim wedi gweithio."

"Dylet ti fod wedi ffonio," meddai Ffi. "Prynodd Mam ddau fath o wyrdd ar gyfer fy nghacen i."

Ces i broc gan Ali. Mae Ffi mor berffaith!

Sylwodd Ffi arnon ni, ac fe grychodd ei thrwyn. "Mae Mam yn dweud: Nid da lle gellir gwell. Ta beth, dwyt ti ddim wedi dweud wrthon ni beth yw dy fwyd di, Ali."

"A! Arhoswch chi. Fe gewch chi syrpreis," meddai Ali.

"Dwyt ti ddim wedi dod â dim i'r ysgol," meddai Ffi. "Ac rwyt ti'n mynd adre gyda Sam, on'd wyt ti?"

"Llongyfarchiadau!" Curodd Ali Ffi ar ei chefn. "Gadewch i fi gyflwyno . . . Ffion Sidebotham, y Ditectif Ifanc!"

"Dim ond gofyn o'n i," meddai Ffi yn grac.

"Wel, dwi ddim yn mynd i ateb," meddai Ali. "Chaiff neb wybod tan heno . . . nos Wener y trydydd ar ddeg!" Ac fe dynnodd wyneb erchyll.

Gwichiodd Sara, a chwarddodd pawb—hyd yn oed Ffi. Yna canodd y gloch ac yn ôl â ni at ein gwersi.

Ar ddiwedd y prynhawn, pan oedden ni'n cerdded adre o'r ysgol, syllais ar y bag ysgol ar gefn Ali—roedd Ffi'n iawn. Roedd e'n edrych yn go wag.

"Wyt ti wedi gwneud rhywbeth ar gyfer heno, wir?" gofynnais.

"Cei di weld!" meddai Ali, a waeth i fi heb â gofyn mwy o gwestiynau. Mae hi'n arbennig o dda am gadw cyfrinach. Chawn i ddim gwybod nes oedd hi'n barod i ddweud wrtha i!

PENNOD PUMP

Pan redais i ac Ali i mewn i'r tŷ, doedd Rebecca ddim yno wrth gwrs. Roedd hi ar ei ffordd i dŷ ei ffrind, Miri. Ond roedd Bethan gartre. Chwyrnodd arnon ni pan ruthron ni i mewn i'r stafell wely.

"Ewch i rywle arall i chwarae, blant bach," meddai. "Dwi'n *gwneud fy ngorau* i bacio!"

Wir i ti! Doedd Bethan ddim wedi bod i ffwrdd dros nos ers blynyddoedd—roedd hynny'n hollol amlwg. Ar y gwely roedd ganddi ddau bâr o byjamas, tri phâr o sanau a phedwar crys-T gwahanol—yn union fel petai hi'n mynd i ffwrdd am wythnosau! Y cyfan oedd ei angen arni oedd brws dannedd a dillad nos, ond ddwedes i ddim gair. Tynnais i Ali mas o'r stafell ac aethon ni i lawr i'r gegin.

Roedd y gegin yn lanach ac yn fwy taclus nag arfer; roedd y llawr yn disgleirio! Ar y ford roedd neges oddi wrth Mam:

CACEN YN Y TUN. PEIDIWCH Â GWNEUD LLANAST — CYMDOGES NEWYDD YN DOD I DE.

"Bril!" meddai Ali. "Dwi'n dwlu ar gacennau dy fam" Aeth i nôl y tun a thynnu'r gacen allan ac es i i nôl Côc.

"Gwell i ni fwyta lawr fan hyn," dwedais. "Gyda lwc bydd Bethan wedi mynd cyn hir— ac wedyn fe allwn ni fwrw ati. Dwi ddim wedi gwneud y jeli slwtsh eto."

"Ocê." Torrodd Ali ddau ddarn enfawr o gacen Mam. Cacen siocled oedd hi—un o'i goreuon. Roedd yr eisin yn drwchus a meddal, ac roedd y gacen yn toddi yn dy geg. Ffantastig!

Roedden ni'n torri dau ddarn arall, pan ganodd cloch y drws.

Neidiodd Ali ar ei thraed. "Falle mai i fi mae hwnna!" meddai a rhedon ni'n dwy at y drws.

Roedd mam Ali ar garreg y drws, gyda dau focs cardbord mawr yn ei breichiau.

Gwaeddodd Ali'n hapus a rhuthro ati. "Mam! Rwyt ti'n werth y byd!"

"Wrth gwrs." Gwenodd mam Ali, gan estyn un bocs i Ali ac un i fi. "Ond dwi ddim yn bwriadu rhedeg ar dy ôl di fel morwyn fach, cofia! Mwynhewch eich hunain. Wela i chi fory."

"Glou!" meddai Ali, wrth i'w mam frysio'n ôl at y car. "Rhaid i ni roi'r bocsys yn y rhewgell!"

"Pam?" gofynnais yn syn.

"Fe ddangosa i i ti ar ôl i ni fynd i'r tŷ," meddai Ali. "Ond maen nhw wedi dechrau toddi ar y ffordd draw, felly agor y drws ffrynt glou!"

"Mae e ar agor—" dwedais, ond yna sylwais nad oedd e ddim. Roedd e wedi cau tra oedden ni'n siarad â mam Ali.

Edrychon ni ar ein gilydd mewn braw, ond wedyn cofiais. "Popeth yn iawn," dwedais wrth Ali. "Mae Bethan yn y tŷ."

Rhois i'r bocs ar garreg y drws a chanu'r gloch yn wyllt. Dim ateb, felly canais y gloch yn wylltach fyth a dechrau curo ar y drws.

O'r diwedd clywodd Bethan, ond ddaeth hi

ddim at y drws. Agorodd ffenest y llofft ac edrych i lawr.

"Pwy sy 'na?" meddai mewn llais crynedig. "Pam ydych chi'n cadw cymaint o sŵn? Mae Dad yn y tŷ! Mae e'n grac iawn!"

Camais yn ôl er mwyn iddi gael fy ngweld. "Bethan! Fi sy 'ma! Dere i agor y drws! Dere glou!"

Weithiau alla i ddim credu Bethan. Mae hi *mor* gas. Petai unrhyw berson normal, caredig yn gweld bod ei chwaer yn methu dod i'r tŷ, byddai'n agor y drws ar unwaith. Ond dyw Bethan ddim yn berson normal, caredig, felly dim ond syllu wnaeth hi.

"Beth wyt ti'n wneud fan'na?" gofynnodd.

"Dere i agor y drws!" gwaeddais.

Roedd Ali'n sbecian ar y bocs yn ei llaw a golwg ofidus ar ei hwyneb. Roedd rhywbeth coch yn dechrau diferu drwy'r gwaelod.

"Dwi'n brysur," meddai Bethan, a—wir i ti—fe gaeodd y ffenest gyda chlep a diflannu.

Gwasgais fy mys ar gloch y drws nes ei bod hi'n swnio fel seiren dân—ond wnaeth hynny ddim gwahaniaeth. Wnaeth y bwystfil erchyll blewog ddim cymryd sylw.

"Allwn ni fynd i mewn drwy'r drws cefn?" gofynnodd Ali.

Rhedon ni rownd y tŷ, ond roedd y drws cefn ynghlo—a'r ffenestri hefyd. Fe driais i ddringo'r bibell ddŵr, ond roedd hynny'n amhosib. Roedd ein tŷ ni mor ddiogel â charchar—ac roedden ni y tu allan.

Ysgydwais fy mhen yn drist, wrth i ni gerdded yn ôl at y drws ffrynt. "Does dim gobaith mynd i mewn," dwedais. "Bai'r lladron yw e. Cyn i Dad fynd i'w waith, dwedodd e wrtha i a Mam am gloi pobman yn ofalus. A dwi'n gwbod bod pob ffenest ar y llawr gwaelod ynghlo, achos fi gloiodd nhw."

"Ffantastig," meddai Ali, ac eisteddodd i lawr ar garreg y drws. Rhois i un hergwd arall i'r gloch. Gwnaeth y gloch sŵn od ac yna tawelu'n gyfan gwbl. Pan wasgais i eto, doedd dim smic.

"Wel, 'na'i diwedd hi," dwedais, ac eisteddais ar garreg y drws yn ymyl Ali. Roedd ffrwd goch yn llifo o'r bocs erbyn hyn. Edrychai 'run ffunud â gwaed, a syllais yn syn.

"Ali—beth yn y byd sy yn y bocsys?"

Ochneidiodd Ali'n ddwys. "Roedd e'n syniad mor dda. Edrych!" A dyma hi'n agor y bocs cyntaf. Y tu mewn roedd rhywbeth tebyg iawn i ben dyn gyda llygaid gwyrdd niwlog yn syllu arna i. Wel, roedd e'n weddol debyg i ben, ond roedd e'n mynd yn fwy a mwy meddal bob eiliad.

"Waw!" dwedais. "Rwyt ti wedi gwneud pen hufen iâ. Mae e'n *benigamp*!"

"*Roedd* e'n benigamp," meddai Ali. "Bues i wrthi am oriau. Grawnwin yw'r llygaid, ti'n gweld . . . dyna'r cyfan fydd ar ôl cyn hir."

"Beth sy yn y bocs arall?" gofynnais, ac fe agorodd hi'r clawr. Yno, ar blât, roedd bloc sgwâr o—waed wedi rhewi?

"Fe gymysgais i bitrwt a mafon," meddai Ali, ac roedd hi'n swnio'n dristach fyth. "Ro'n i'n mynd i'w wasgu'n stwnsh a rhoi'r pen i eistedd arno . . . ond dyw e ddim gwerth nawr."

"Dwi'n mynd i ladd Bethan," dwedais.

"Falle gallwn ni roi ei phen *hi* ar y plât," meddai Ali, a doedd e ddim yn swnio fel jôc ar y pryd.

Yn sydyn eisteddais i fyny. Ro'n i wedi

meddwl am rywbeth i godi'n calonnau. "Hei!" dwedais. "Bydd Bethan dros ei phen a'i chlustiau mewn helynt, pan glywith Mam. Bai Bethan yw e am ein cloi ni mas."

"Ie," meddai Ali, ac fe deimlon ni ychydig bach yn well.

Eisteddon ni ar garreg y drws am o leia deg munud yn gwylio'r pen hufen iâ yn toddi. Wel, i fod yn onest, ar ôl dwy funud fe ddechreuon ni ei fwyta. Wel, doedd dim iws ei wastraffu, oedd e? Ond cyn hir doedd dim ar ôl ond pwdel mawr gyda dwy rawnwinen yn nofio yn y canol.

"Wyt ti'n meddwl y dylen ni symud y bocs arall?" gofynnodd Ali. "Mae e'n diferu dros bob man."

Trois fy mhen i edrych arno, ac roedd hi'n iawn. Roedd y gwaed ffug yn llifo dros y grisiau. "Hmm," dwedais. "Trueni na allen ni ei adael fan'na. Bydd y lleill wrth eu bodd— gwaed ar garreg y drws!"

Chwarddodd Ali, ond roedden ni'n gwybod na fyddai Mam yn cytuno. *Bo-ring!* Fel 'na mae mamau. Am ryw reswm dydyn nhw ddim yn hoffi gwaed.

"Hei, Ali!" Neidiais ar fy nhraed. Ro'n i wedi cael syniad arbennig o glyfar! "Dwi'n gwbod beth allwn ni wneud ag e! Gallwn ni wneud llwybr gwaed!"

Disgleiriodd llygaid Ali. "Mega! *Dilynodd y ditectifs y rhes o smotiau erchyll drwy'r coed a'r llwyni. Brysiodd y pump yn eu blaenau nes dod ar draws—*"

"Corff!" Gwaeddodd y ddwy ohonon ni ag un llais ac yna fe fuon ni'n chwerthin nes ein bod ni'n wan.

Fe wnaethon ni lwybr gwych—y llwybr gwaed gorau a welaist ti erioed. Dechreuon ni rownd y gornel, rhag ofn i Mam ddweud wrthon ni am ei olchi i ffwrdd cyn i Sara, Mel a Ffi ei weld. Dechreuon ni gydag ychydig ddiferion, ac yna ychydig mwy—ac yna pwll mawr. A dweud y gwir, doedden ni ddim wedi bwriadu gwneud pwll mor fawr, ond fe lithrodd y plât.

Dwedodd Ali nad oedd ots. "Gallwn ni esgus mai fan hyn y ceisiodd y truan dynnu'r gyllell o'i gefn," meddai.

Roedd e'n edrych yn erchyll iawn.

Taflon ni ddiferyn neu ddau dros y llwyni, ond doedd dim llawer o'r cymysgedd ar ôl.

"Dylen ni wneud corff, a'i guddio o dan y llwyni," dwedais.

Nodiodd Ali. "Neu hanner corff!"

` Ti'n gweld pam mae Ali a fi yn gymaint o ffrindiau. Mae'r ddwy ohonon ni'n dwlu ar bethau gwaedlyd!

Ar ôl gorffen y llwybr gwaed, fe garion ni'r ddau focs i gefn y tŷ a'u rhoi yn y bin. Diferodd yr hufen iâ dros y lle, ond doedd dim i'w wneud. Allen ni ddim nôl bwcedi o ddŵr o'r tŷ, na dim arall chwaith. Ond os byddai rhywun yn achwyn, ar Bethan oedd y bai.

Wrth i ni grwydro'n ôl at y drws ffrynt, gwelson ni Mam yn dod ar hyd llwybr yr ardd. Gyda hi roedd menyw ddierth—ein cymdoges newydd.

"Croeso i'n tŷ ni," meddai Mam. "Mae—" Ac yna dyma hi'n sylwi arnon ni. Wyt ti'n cofio fy ngên i'n disgyn? Wel, disgynnodd gên Mam hefyd—ond sgrechiodd y fenyw. Do wir! A chydiodd yn dynn yn Mam!

Dyw Mam ddim yn dychryn yn hawdd.

Aeth ei gên ôl i'w lle, a syllodd yn gas arna i. "Beth yw hyn?" meddai. "Tric nos Wener y trydydd ar ddeg? Edrychwch ar yr olwg sy arnoch chi!"

Roedd hi'n iawn. Roedd golwg go erchyll arna i ac Ali. Roedd y cymysgedd bitrwt wedi diferu droston ni wrth i ni wneud y llwybr gwaed.

"Mam," dwedais. "Mam, nid ein bai ni yw e, wir! Caeodd y drws y tu ôl i ni ac roedd Bethan yn pallu agor!"

Erbyn i ni orffen egluro, roedd Mam am waed Bethan, fel roedden ni'n disgwyl.

"'Na ni!" meddai. "Chaiff meiledi ddim mynd mas heno. Chaiff hi ddim symud o'r tŷ!"

"O!" llefais i ac Ali. Doedden ni ddim wedi disgwyl hynny. Allai Mam ddim bod mor greulon—dim *heno*!

Gallai! Bues i'n begian arni i newid ei meddwl. Ac Ali hefyd. Fe wnaethon ni ein gorau glas. Dwedon ni mai ein bai ni oedd e. Ond doedd gyda ni ddim gobaith caneri. A doedd y gymdoges newydd ddim tamaid o help, chwaith. Roedd hi fel tiwn grôn. "Dim ond dwy ferch fach ych chi, ddylech chi ddim fod allan pan mae lleidr gwallgo'n crwydro'r dre . . ." Roedd hynny'n ddigon i Mam. Doedd Bethan ddim yn cael gadael y tŷ, meddai—a dyna ddiwedd arni.

Tynnodd Ali a fi wynebau ar ein gilydd wrth i ni arllwys dŵr a sebon dros garreg y drws.

"Trueni bod y drws wedi cau," dwedais. "Roedden ni mor anlwcus."

Nodiodd Ali. "Dydd Gwener y trydydd ar ddeg," meddai. "Diwrnod anlwcus!"

A dim ond dechrau oedden ni . . .

PENNOD CHWECH

Roedd y ffaith fod Bethan yn dal yn y tŷ wedi difetha'n cynlluniau ni. Roedd Mam yn sylweddoli hynny, felly dwedodd y gallen ni gysgu'r nos yn stafell Rebecca—os oedden ni'n *addo bod yn ofalus a pheidio â sarnu dim*.

O achos Bethan Bwystfil, newydd ddechrau ar y tâp erchyll oedden ni pan gyrhaeddodd Sara. Chlywson ni mohoni'n cyrraedd wrth gwrs, achos doedd y gloch ddim yn gweithio ac achos bod stafell Rebecca yng nghefn y tŷ, felly daeth Bethan i ddweud wrthon ni. Na, doedd hi ddim yn teimlo'n garedig tuag aton ni. Trio seboni Mam oedd hi am fod honno mor grac.

Rhuthron ni heibio i Bethan a rhedeg lawr

stâr i weld Sara. Roedd y fowlen o sbageti'n ych-a-fiaidd tu hwnt! Roedd golwg lwyd ac afiach arno, ac roedd y cyrens yn debyg iawn i bryfed wedi marw . . . neu rywbeth gwaeth! Gwthion ni'r fowlen i'r oergell a llusgo Sara i'r llofft i'n helpu i recordio'r tâp.

Mae gan Rebecca stereo arbennig gyda meicroffon go iawn a dau ddec tapiau, felly fe wnaethon ni un tâp ac yna ychwanegu mwy a mwy o synau erchyll ar ei ben. A doedden ni ddim yn sarnu pethau Rebecca: roedd gen i fy nhapiau fy hunan. Dim ond benthyg ei hoffer hi oedden ni.

Sibrydodd Sara i'r meicroffon, ac fe wnaeth Ali'r nadau gorau erioed. Gwnes i i'r drws wichian, wedyn bues i'n sgrechian ac yn griddfan. Yna fe sylwon ni fod y sŵn yn atsain pan oedden ni'n bellach i ffwrdd, felly agoron ni'r drws ac es i a Sara lawr stâr i wneud sŵn traed.

Arhosodd Ali i ni gyrraedd y gwaelod, yna gwasgodd fotwm y meicroffon. Cerddon ni'n swnllyd lan y grisiau a cherddodd Ali'n swnllyd i lawr, gan chwerthin yn oerllyd ac erchyll. Roedden ni'n cael yr hwyl ryfedda ac roedd Sara am roi un sgrech arswydus i orffen, pan—

Bang! Daeth Bethan allan o'i stafell fel taran.

"Allwch chi, blant, ddim *cau'ch cegau?*" sgrechiodd. "Oes rhaid i chi chwarae'ch gêmau dwl ar y stâr? Mae'n waeth na'r holl sgrechian a gweiddi o stafell Rebecca druan!"

Wrth gwrs fe recordiwyd pob gair. Atebon ni ddim—dim ond rhuthro i ddiffodd y meicroffon, ac yna cau'r drws yn glep.

"Mae hi wedi sarnu'r tâp!" dwedais.

"Dewch i ni wrando arno," awgrymodd Ali. "Falle bydd hi'n swnio fel hen wrach erchyll."

Chwarddais i a Sara. Ailweindion ni'r tâp a gwasgu *Play.*

Roedd e'n dâp ffantastig—y tâp mwya erchyll erioed—nes i ni ddod at lais Bethan. Roedd hi'n swnio'n ofnadwy, ond dim byd tebyg i wrach.

"Ydyn ni'n mynd i recordio drosti?" gofynnodd Sara.

"Na—gadewch e!" dwedais. "Fe ddwedwn ni wrth Mel a Ffi mai ni yw'r cynta yn y byd i recordio sŵn bwystfil cas!"

Roedden ni yn y gegin yn gwneud slwtsh gwyrdd pan ddaeth Ffi a Mel at y drws. Curodd Ffi mor dawel, chlywson ni ddim smic, ond wedyn dyma Mel yn dyrnu'r twll llythyron.

"Grêt!" dwedais, pan oedd pawb yn y gegin. "Mae'r Clwb Cysgu Cŵl yn barod am waith unwaith eto! Ac mae gyda ni sawl syrpreis i chi—yn enwedig yn yr ardd!"

Roedd Ffi'n edrych yn nerfus yn barod. Roedd hi'n edrych dros ei hysgwydd drwy'r amser ac yn neidio os clywai hi sŵn, a nawr dyma hi'n gwichian. "Mae Mam yn dweud bod yn rhaid i ni aros yn y tŷ," meddai. "Wyddon ni ddim pwy sy'n gwylio'r tŷ ac yn aros am gyfle i dorri i mewn."

Edrychais i ar Ali, a dechreuon ni'n dwy chwerthin.

Aeth wyneb Ffi'n binc iawn. "Dyw e ddim yn ddoniol," meddai.

"Na," dwedais. "Nid dyna pam dwi'n chwerthin. Dwi'n chwerthin achos bues i ac Ali am oriau yn trio torri i mewn, ac fe fethon ni! Dyma'r tŷ mwya diogel yn y byd i gyd!"

"O," meddai Ffi, ac edrychodd ychydig bach yn hapusach.

Yna dwedais i ac Ali hanes Bethan yn gwrthod agor y drws ac yn achosi i'r hufen iâ doddi.

Ar ôl clywed yr hanes, roedd pawb yn gytûn. Rhaid i ni ddial arni!

"Dewch i ni esgus bod yn ysbrydion a'i chadw ar ddihun drwy'r nos," meddai Ali.

"Neu beth am guddio rhywbeth yn ei gwely?" meddai Mel, gan chwerthin.

"Neu guro ar ei ffenest!" meddai Sara.

Dechreuodd Ffi grynu eto. "Bydd yn rhaid i ni fynd mas i guro ar y ffenest!"

"Peidiwch â phoeni. Fe feddyliwn ni am rywbeth," dwedais, yna penderfynais newid y testun. "Gawn ni weld dy gacen di, Ffi?"

"O, cewch! Mae'n arbennig!" Brysiodd Ffi i'r cyntedd a daeth yn ôl â'r bocs cacennau yn ei llaw.

Am unwaith roedd Ffi yn llygad ei lle. Roedd y gacen yn *mega*-arbennig! Roedd yr eisin yn gymysgedd o wyrdd golau a gwyrdd tywyll, ac roedd mwydod jeli'n gwthio'u pennau drwyddo a chorynnod jeli'n swatio ar waelod y gacen. "Wwwww!" meddai pawb. "Rwyt ti'n glyfar, Ffi!" Gwenodd Ffi o glust i glust.

"Roedd gen i rai mwydod ar ôl," meddai. "Dwi wedi dod â nhw. Ydyn nhw o unrhyw werth i ti?"

"Ydyn! Fe rown ni nhw yn y slwtsh," dwedais. "Ble mae dy bitsa di, Mel?"

Gwenodd Mel. "Cewch chi weld yn nes ymlaen!" meddai.

"Dydy o ddim yn deg!" meddai Sara. "Rydyn ni wedi gweld teisen Ffi!"

Dim ond dal i wenu wnaeth Mel, ac ysgwyd ei phen.

Allen ni ddim holi mwy, achos daeth Mam i'r gegin. "Ydych chi yma o hyd?" meddai. "Dwi'n gorfod paratoi rhywbeth i Dad—bydd e'n galw i mewn cyn mynd i'r cyfarfod—" Tawelodd am funud pan welodd hi'r gacen. "Wel! Mae honna'n glyfar!" Cochodd Ffi ac edrychodd yn falch iawn ohoni'i hun.

"Dyw hi ddim yn arbennig," meddai, ond yn dawel bach roedd hi'n meddwl, "Ydy, mae hi'n glyfar a dw inne'n glyfar iawn!"

"Popeth yn iawn, Mam," dwedais. "Rydyn

ni'n mynd i roi'r slwtsh yn yr oergell, wedyn byddwn ni'n mynd lan i'r llofft."

"Iawn," meddai Mam. "Ond peidiwch â—"

"Peidiwch â sarnu pethau Rebecca!" dwedais ar ei rhan.

Gorffennon ni'n gwaith yn y gegin ac yna carlamu lan stâr i stafell Rebecca.

"Dewch 'mlaen," dwedais. "Dewch i symud y celfi i ni gael mwy o le. Bydd Rebecca i ffwrdd drwy'r penwythnos, felly fydd hi ddim yn gwbod. Gallwn ni roi popeth yn ôl fory."

"Ond byddwn ni'n sarnu ei phethau hi," meddai Ffi.

"Na—dim ond *symud* ei phethau," dwedais. "Os rhown ni bopeth yn erbyn y wal, bydd digon o le i ni heno. Does dim lle i chwipio chwannen fel mae."

Giglodd Ffi. "Druan â'r chwannen."

"Dw i'n mynd i'w chwipio gyda tedi!" meddai Ali a dyma hi'n gafael yn nhedi gwyn Rebecca ac yn ei ddefnyddio fel chwip.

Bang! Trawodd y tedi yn erbyn lamp Rebecca a'i thaflu i'r llawr. Chwarddais i a Sara a Mel a Ffi dros y lle.

"Wps!" Disgynnodd Ali ar ei phedwar a

chodi'r lamp. "Rwyt ti'n iawn, Sam! Does dim lle yma i chwipio unrhyw beth!"

Buon ni'n tynnu, llusgo a gwthio'r celfi yn erbyn y wal, ac fe roddon ni ddillad a sgidiau Rebecca yn un pentwr ar ei gwely. Yna edrychon ni ar y stafell.

"Waw!" Roedd Mel wrth ei bodd. "Mae digon o le i chwipio miloedd o chwain nawr!"

"Hwrê!" Cydiodd Ali yn y tedi gwyn unwaith eto a'i droi uwch ei phen. "Dere i chwipio, tedi!"

Cydiodd Mel mewn broga gwyrdd. Rhedodd Sara a Ffi am y cyntaf at gwningen flewog. Ffi enillodd, felly neidiodd Sara ar jiráff pinc. Ces i afael ar eliffant meddal . . . a dechreuon ni eu hysgwyd, lan a lawr a lan a lawr.

"Chwipiwch y chwain!" gwaeddais . . . a dyma fi'n taflu'r eliffant. Trawodd yr eliffant Sara, a chwympodd Sara ar ben Ffi, a bwrodd Ffi Mel gyda'i chwningen flewog a thaflodd Mel ei broga gwyrdd ar draws y stafell a—

Clec!

Cwympodd y lamp am yr eildro.

A'r tro hwn fe dorrodd. Torrodd yn ddarnau. Aaaaaa! Roedd y darn gwaelod wedi ei wneud o dsieina pinc (Mae Rebecca'n hoffi lliw pinc siwgwr candi. Un fel 'na yw hi!) ac roedd y tsieina wedi torri'n deilchion. Roedd y gysgodlen wedi plygu hefyd.

Am foment syllon ni ar y darnau heb ddweud gair.

"Mae'n ddrwg gen i," meddai Mel o'r diwedd.

"Roedden ni i gyd ar fai," meddai Ali, a nodiais i.

"Ar y broga mae'r bai," meddai Sara, a giglodd Ali. "Chaiff o ddim mynd allan i chwarae!"

"A chaiff e ddim arian poced!" dwedais i.

"Falle gallwn ni drwsio'r lamp," meddai Ffi. Roedd hi'n codi'r darnau. "Oes glud cryf gyda chi?"

"Dim syniad," dwedais. "Fe a' i i edrych yn y gegin. Ond bydd Rebecca'n siŵr o sylwi."

"Fyddwn ni ddim gwaeth o drio," meddai Mel.

"Mae Mam yn dal i goginio," dwedais. "Fe

awn ni i chwilio am y glud yn nes ymlaen. Ta beth, does dim brys. Dyw Rebecca ddim yn dod yn ôl tan nos Sul."

Lawr stâr dechreuodd y ffôn ganu. Rhaid bod rhywun—neu *rywbeth!*—wedi 'nghlywed i, achos ymhen dwy funud dyma Bethan yn carlamu lan stâr ac yn gwthio'i phen drwy'r drws. "Mae Rebecca'n dod adre heno," meddai, a gwên fawr ddwl ar ei hwyneb. "Mae lleidr wedi torri i mewn i dŷ Miri, felly all Rebecca ddim aros dros nos!"

Edrychodd Bethan ar y stafell ac ar y pentwr o gelfi. "Ha! *Chi* sy'n mynd i gael helynt nawr!" Ac i ffwrdd â hi a'i thrwyn yn yr awyr.

Rebecca'n dod adre? Syllon ni ar ein gilydd.

Yna dyma Ffi'n taflu ei breichiau ar led fel actores. "Sdim rhyfedd!" llefodd. "Mae'n ddydd Gwener y trydydd ar ddeg! Bydd popeth yn mynd o chwith!"

PENNOD SAITH

"Dwi'n mynd i ofyn i Mam ydy e'n wir," dwedais ar ôl dod dros y sioc. "Falle bod y Bwystfil yn dweud celwydd. Mae hi'n ddigon slei."

Ond, fel mae'n digwydd, *roedd* e'n wir— ond doedd y newyddion ddim cynddrwg chwaith. Allai Rebecca ddim aros dros nos, ond roedd hi a Miri wedi mynd mas i gael pitsa, ac roedd Dad yn mynd i'w chasglu ar y ffordd adre o'r cyfarfod.

"Bydd hi'n go hwyr, felly mae'n well i Rebecca gysgu gyda Bethan yn eich stafell chi heno," meddai Mam.

Ochneidiais yn hapus—ond heb i Mam sylwi. Wedyn nodiais arni. "Ocê," dwedais.

Edrychodd Mam yn amheus arna i. "Dwyt

ti ddim wedi gwneud llanast, gobeithio," meddai. "Mae Bethan yn dweud eich bod wedi symud y celfi."

"Dim ond symud ychydig bach," dwedais. "Ac rydyn ni wastad yn gwneud hynny yn fy stafell i."

"Iawn." Roedd Mam yn dal i droi rhywbeth mewn sosban. "Bydda i a Bethan yn bwyta gyda Dad, felly fe gewch chi heddwch i fwyta'r gacen werdd yn nes ymlaen."

"Diolch, Mam. Rwyt ti'n werth y byd," dwedais, a rhois i gusan bach iddi.

Ro'n i ar fy ffordd lan stâr pan glywais i Dad yn dod i mewn. Chwifiais arno'n gyflym dros y ganllaw, ac yna rhedais yn ôl i stafell Rebecca i ddweud wrth y lleill am beidio â gwylltio—dim eto!

"Gallwn ni dacluso'r stafell yn y bore," dwedais.

Roedd Ffi'n sbecian drwy'r ffenest. "Dwi'n siŵr 'mod i wedi clywed sŵn rhyfedd," meddai. "Oes 'na rywun tu fas, chi'n meddwl?" Roedd hi ar bigau'r drain eto.

"Dad, siŵr o fod," dwedais. "Mae e newydd ddod adre."

"O," meddai Ffi, ond roedd hi'n dal i swnio'n amheus.

"Dewch i ni weld!" meddai Ali. Tynnodd wyneb arna i y tu ôl i gefn Ffi a gwnaeth stumiau â'i gwefusau: *Llwybr gwaed!*"

"O, na!" gwichiodd Ffi. "Allwn ni ddim mynd mas."

"Byddwn ni'n un criw mawr," meddai Mel gan wenu. "Fyddai 'run lleidr yn mentro ymosod ar y Clwb Cysgu Cŵl."

Llwyddodd Ffi i roi gwên fach. "Dwi ddim yn meddwl y dylen ni fynd—" meddai, ond doedd hi ddim yn swnio mor siŵr nawr.

"Dere!" Cydiodd Mel yn ei llaw. "Gallwn ni archwilio'r ardd cyn iddi dywyllu! Edrychwn ni o dan bob llwyn!"

"Dim ond lleidr bach, bach fedrai guddio yn dy ardd di," meddai Sara.

"Rwyt ti'n iawn!" dwedais. "Falle mai dim ond chwe deg centimedr o daldra yw e—dyna pam does neb wedi llwyddo i'w ddal!"

Roedden ni hanner ffordd i lawr y grisiau pan stopiodd Ali'n sydyn. "Ssssh!" meddai. "Rydyn ni'n gwneud mwy o sŵn na haid o eliffantod! Rhaid i ni gerdded ar flaenau'n traed."

"Ar flaenau'n traed i ffwrdd â ni

I ddal y lleidr o flaen y tŷ!"

meddai Mel gan chwerthin. Safon ni i gyd mewn rhes a cherdded ar flaenau'n traed i lawr gweddill y grisiau ac allan drwy'r drws ffrynt. (Ar y ffordd allan codais y glicied. Doeddwn i ac Ali ddim eisiau cael ein cloi allan eto!)

Roedd hi'n dechrau tywyllu wrth i ni gripian rownd cornel y tŷ. Ali oedd ar y blaen, wedyn fi, wedyn Mel, wedyn Sara, ac wedyn Ffi.

"Ar flaenau'n traed ymlaen â ni!" canodd Mel a dyma ni i gyd yn cripian i sŵn y miwsig, nes—

"Edrychwch!" meddai Ali mewn llais uchel, cynhyrfus—fel actores wallgo—a stopiodd yn stond ar ganol y llwybr.

Trawon ni i gyd yn erbyn ein gilydd a rhywsut neu'i gilydd Ffi laniodd ar flaen y rhes—felly hi welodd y llwybr gwaed gyntaf, cyn i Mel a Sara gael cyfle. Ac fe sgrechiodd . . .

A dychrynodd pawb arall lawn cymaint â Ffi. Wrth glywed y sgrech, teimlais fy nghalon yn rhoi sbonc enfawr a chlywais Mel yn dal ei hanadl y tu ôl i fi. Pan mae rhywun yn sgrechian o ddifri, dyw e ddim yn sŵn braf—mae e'n *wirioneddol* arswydus! Ac yna dyma Ffi'n troi ac yn *rhedeg* yn ôl i'r tŷ, ac wrth gwrs fe redon ni i gyd ar ei hôl.

Petawn i yn ei lle hi, byddwn i wedi rhedeg yn syth at yr oedolion, ond, drwy lwc, wnaeth Ffi ddim. Rhedodd i stafell Rebecca, ac erbyn i ni gyrraedd, roedd hi'n crynu o'i phen i'w thraed ac yn stwffio'i phyjamas i'w bag.

"Ffi, beth wyt ti'n wneud?" gofynnais.

Cododd ei phen, ac roedd lliw dychrynllyd ar ei hwyneb—lliw llwyd-wyrdd. "Dwi eisiau mynd adre," dwedodd. "Mae gwaed ar y llwybr! Dwi eisiau Mam! Dwi wedi cael ofn!"

Edrychais ar Ali ac edrychodd Ali arna i. "Mae'n ddrwg gen i, Ffi," dwedais. "Nid gwaed oedd e, ond sudd mafon o bwdin Ali."

"Toddodd y pwdin pan gawson ni'n cloi allan," meddai Ali. "Roedd yn drueni ei wastraffu, felly fe wnaethon ni lwybr rownd y tŷ."

"Wyt ti'n siŵr nad gwaed oedd e?" Roedd Ffi'n dal i edrych fel cwningen ofnus, ond o leia doedd hi ddim yn crynu. Doedd hi ddim yn pacio ei phyjamas chwaith.

Yn sydyn cofiais beth roedd Dad wedi'i ddweud wrtha i. Pan mae pobl yn cael sioc, rhaid i chi eu cadw'n gynnes, ac os nad ydyn nhw wedi cael niwed mewnol, rhowch ddiod felys iddyn nhw.

"Aros fan'na!" dwedais. "Ali, lapia'r dwfe am Ffi!" A rhedais lawr stâr.

Roedd Bethan a Mam newydd orffen bwyta ac roedd Dad wedi gwneud llond tebot o de. Yr union beth!

"Ga i fynd â phaned o de i Ffi?" gofynnais. "Mae hi . . . Mae hi braidd yn oer."

"Glywais i chi'n mynd mas?" meddai Mam. "Peidiwch â mynd mas eto—mae'n tywyllu nawr."

Sut na chlywson nhw sgrech Ffi? Roedd y sŵn yn dal i atsain yn fy mhen. Falle bod Bethan yn parablu am yr ysgol—*bo-ring!*— neu falle'u bod nhw'n meddwl mai ar y teledu oedd y sgrech. Roedd sŵn y teledu i'w glywed yn y stafell fyw.

Arllwysais y te, rhois lwyaid fawr o siwgr ynddo, a diflannais drwy'r drws cyn iddyn nhw ddechrau gofyn cwestiynau lletchwith.

Lan lofft, roedd Ffi'n teimlo'n well o lawer. Roedd y dwfe amdani, a Mel yn ei thendio— ac mae Ffi wrth ei bodd yn cael ei thendio. Yfodd y te, a chyn hir roedd ei hwyneb yn binc unwaith eto.

"Lwcus na wnaethon ni ddim corff!" meddai Ali'n llon. "Byddai Ffi wedi cael ffit farwol!"

"Mae Mam yn dweud 'mod i'n sensitif iawn," meddai Ffi, ac roedd hi'n swnio'n falch! Yna crynodd eto. "Roedd y gwaed yn edrych fel gwaed go iawn!"

"Ches i ddim cyfle i'w weld o'n iawn," meddai Sara'n siomedig, a chwarddodd pawb.

Curodd rhywun ar y drws. "Mae'r gegin yn barod i chi!" meddai Dad, a chlywson ni sŵn ei draed yn mynd i'r stafell wely. Roedd e'n mynd i baratoi ar gyfer y cyfarfod, wrth gwrs.

"Mae'n amser bwyd!" gwaeddodd Mel. "Ga i fynd lawr gynta a rhoi'r pitsa yn y ffwrn? Arhoswch chi fan hyn am ddwy funud. Dwi ddim am i neb ei weld nes ei fod e'n barod!"

Rhifon ni "hipopotamws" gant dau ddeg o weithiau er mwyn i Mel gael amser i baratoi'r pitsa, ond wedyn allen ni ddim aros. Rhuthron ni lawr stâr i drefnu'n parti ffiaidd. Roedd Ffi'n dal i ddioddef o sioc, achos fe neidiodd fel Jac y jwmper pan gwympodd llwy Sara ar y llawr. Gobeithio y byddai'n teimlo'n well cyn hir. Ro'n i'n teimlo braidd yn euog am roi cymaint o fraw iddi!

Pan dynnodd Mel y pitsa o'r ffwrn o'r diwedd, daliodd pawb eu gwynt. Ali sy'n gwneud pitsa fel arfer—ei thad yw Pencampwr y Pitsas—a doedd pitsa Mel ddim mor iymi â rhai Ali. Ond roedd e'n bitsa gwych *ofnadwy*. I ddechrau roedd e'n wyrdd—yn wyrdd afiach fel rhywbeth sy wedi ei gladdu ers tro. Roedd wedi ei blygu yn ei hanner, fel ceg . . . ac roedd bysedd yn sticio mas rhwng y gwefusau erchyll! Bysedd meddal, llipa, *pinc gloyw,* gyda gwaed yn diferu rhyngddyn nhw. (Sosejys oedden nhw, i ti gael gwybod, ond roedden nhw 'run ffunud â bysedd.)

Gwaeddodd pawb "Iych!" gyda'i gilydd— roedden nhw mor ffantastig!

Carion ni'r bwyd i gyd i'r llofft; pan

fyddwn ni'n cael cyfarfod o'r Clwb rydyn ni wastad yn bwyta yn ein stafelloedd gwely—mae'n fwy o hwyl. Roedd y slwtsh gwyrdd yn crynu a rhynnu; ro'n i wedi rhoi gormod yn y fowlen, ond drwy lwc chollon ni ddim diferyn. Wel, dim llawer ta beth—llithrodd un dropyn bach dros yr ymyl, pan oedd Sara'n agor y drws ag un llaw ac yn gafael yn y fowlen â'r llaw arall. Cripiodd dros y carped at stafell Rebecca fel malwen fawr werdd!

Rhoddon ni'n bwyd ar y llawr, swatio yn ein sachau cysgu a diffodd y golau. Yna goleuon ni bob i dortsh. Wyt ti wedi cael parti fel 'na? Mae'n wych! Ond dwyt ti ddim wastad yn sylwi dy fod wedi sarnu bwyd ar y llawr.

"Dewch i chwarae'r tâp erchyll!" awgrymodd Ali.

"Syniad da iawn," dwedais.

Roedd yn rhaid cael golau er mwyn i ni gael gweld y stereo, ond diffoddais i e'n syth ar ôl gwasgu *Play*.

Doedden ni ddim wedi gwrando am fwy nag eiliad, pan neidiodd Ffi ar ei thraed. "Dwi eisiau golau!" meddai gan stryffaglio at y swits a'i wasgu. Yna stopiodd hi'r tâp. "Mae'n OFNADWY!" meddai, gan grynu drosti.

Weithiau dwi'n meddwl mai Ffi yw'r babi mwya yn y byd. Er i ni wneud ein gorau i'w pherswadio, gwrthododd yn bendant â gadael i ni chwarae'r tâp yn y tywyllwch. Doedd dim ots ganddi eistedd yng ngolau tortsh, ond doedd hi ddim eisiau gwrando ar y tâp ar yr un pryd. Os oedden ni am chwarae'r tâp, roedd yn rhaid iddi *hi* gael golau. Yn y diwedd roedd yn rhaid i ni ildio. Wnaethon ni ddim chwarae'r tâp.

Dyna'r bwyd gorau erioed. Roedd sbageti llwyd Sara'n blasu fel rwber, ond doedd dim ots. Dwedodd Mel mai mwydod milain oedd y sbageti, ac roedd yn rhaid i ni eu sugno i'n cegau. Dyna'r unig ffordd i'w bwyta! Fe gawson ni i gyd dro ar y sugno swnllyd—ac fe sugnon ni'r slwtsh hefyd. Roedd e'n mega! Roedd y pitsa nid yn unig yn wych, ond yn flasus iawn. Cadwon ni'r gacen tan y funud ola. Roedd Ffi'n edrych yn hapusach o lawer, pan ddaeth yr amser i dorri'r gacen.

"Dewch i ni dorri darn yr un a gwneud dymuniad," meddai. "Wedyn falle chawn ni ddim rhagor o anlwc."

Cytunodd pawb ei fod yn syniad da, ac estynnais i'r gyllell i Ffi. "Ti gynta," dwedais, a daliodd Ffi'r gyllell uwchben yr eisin mwydod gwyrdd.

"Dwi'n dymuno—" meddai, a dyna'r cyfan ddwedodd hi.

"Helen! Dwi am i ti a dy ffrindiau ddod yma *ar unwaith*!"

Llais Dad oedd e. Roedd e'n gweiddi o waelod y grisiau ac roedd e'n swnio'n *gynddeiriog*.

PENNOD WYTH

Aethon ni lawr stâr a dyna lle oedd Dad—wel, dwi'n meddwl mai Dad oedd e. Roedd y creadur rhyfedd 'run maint â Dad ac roedd ei lais yn swnio'n debyg i lais Dad—ond heblaw hynny, roedd hi'n anodd dweud, achos roedd e'n wyn fel yr eira. Neu'n hytrach, yn wyn fel blawd . . . ro'n i'n gwybod mai blawd oedd e, achos roedd gan y creadur botel ddŵr twym siâp cath yn ei law. Wir, roedd e'n edrych yn od! Er 'mod i'n gwybod mai Dad oedd e, roedd e'n debycach i ysbryd!

Roedd y lleill yn methu deall. Roedd llygaid Ffi bron â neidio o'i phen. Dechreuodd Sara ac Ali a Mel giglan—ond stopion nhw giglan pan welson nhw wyneb Dad. Os mai ysbryd oedd e, roedd e'n ysbryd crac iawn, iawn.

Wwwwwps! Rydyn ni'n cael digon o anlwc i bara am flynyddoedd, meddyliais.

"Chi sy wedi bod yn chwarae triciau dwl dydd Gwener y trydydd ar ddeg?" rhuodd Dad. "Ro'n i yn y gegin, yn paratoi i fynd i gyfarfod pwysig *iawn*—a *fflwwmp!* mae potel ddŵr twym yn ymosod arna i. Dyna lle'r o'n i'n mwynhau paned bach tawel o de yn y gegin, heb ddim ffỳs, a'r funud nesa—*tasgodd cath flewog o'r cwpwrdd. A* difetha fy siwt orau!"

Agorais fy ngheg i ddweud mai arna i oedd y bai ac nid ar y lleill —ond ches i ddim cyfle. Y funud honno daeth Mam allan o'r stafell fyw—a phan welodd hi Dad, dechreuodd chwerthin. Do, chwerthin!

"Mae'n ddrwg gen i," meddai. "Ond rwyt ti'n edrych mor ddoniol. Beth ddigwyddodd?"

Gwnaeth Dad ei orau i edrych yn urddasol, ond doedd hynny ddim yn hawdd. Chwifiodd y botel flewog uwch ei ben. "Un o driciau dwl Helen!" meddai. "Neu un o'i ffrindiau! Mae un cynddrwg â'r llall! Ro'n i'n chwilio am y polish sgidiau a dyma hon"—chwifiodd y gath eto—"yn tasgu o'r cwpwrdd top ac yn chwythu llwch gwyn drosta i!"

Agorais fy ngheg eto, ond torrodd Mam ar fy nhraws.

"O na!" meddai, a dechreuodd frwsio'r llwch oddi ar Dad. "Nid ar Sam mae'r bai am unwaith. Dwi'n meddwl mai arna i mae'r bai! Fi roddodd y gath yn y cwpwrdd oesoedd yn ôl. Doedd Sam ddim yn gwybod ei bod hi yno—oeddet ti?" A dyma Mam yn troi ata i.

Wel—beth fyddet ti wedi'i wneud? Fyddet ti wedi codi dy law a dweud, "Na, fi wnaeth! Fi wnaeth!"? Oedais am chwarter eiliad, wedyn dwedais, "Doeddwn i ddim yn gwbod tan heddi." Roedd hynny'n *wir* . . . ac ro'n i'n meddwl 'mod i'n ddiogel, nes i Mam stopio brwsio'n sydyn.

"Aros funud," meddai. "Nid llwch yw hwn. Blawd yw e—ie, blawd!" A dyma hi a Dad yn troi i edrych arna i. Teimlais fy mochau'n llosgi. Roedd yn bryd i fi gyfaddef . . .

"Neidiodd hi mas arna i bore 'ma!" dwedais. "Ro'n i'n chwilio am rywbeth yn y cwpwrdd ac fe ges i sioc hefyd. Cwympais o ben y stôl!"

"Felly fe benderfynaist ti ei rhoi hi'n ôl,"

meddai Mam. "A rhoi ychydig mwy o lwch arni . . . er mwyn i'r person nesa gael mwy o sioc fyth!"

Weithiau dwi'n meddwl bod Mam yn darllen meddyliau. Nodiais.

"*Hmmmm!*" meddai Mam, ac edrychodd ar Dad. Roedd gwên fach ar ei hwyneb o hyd, ond doedd Dad ddim yn gwenu. Dim o gwbl. Roedd e'n chwyrnu fel mynydd tân a oedd yn barod i ffrwydro. Gobeithio na fyddai'r ffrwydrad yn *rhy* ddrwg.

"Mae'n ddigon hawdd chwarae triciau dwl," meddai. "Ond mae fy siwt i'n frwnt, a does gen i ddim amser i'w golli. Fe siaradwn ni am hyn fory, Helen."

"Mae'n ddrwg gen i, Dad," dwedais, wrth iddo ddiflannu i'r gegin fel taran.

Rhaid bod Mam wedi llwyddo i gael gwared o'r blawd, achos clywais y car yn gadael ddwy funud yn ddiweddarach.

Brysiais i a'r lleill yn ôl i fwyta ein cacen. Ar ôl cau'r drws, meddyliais am Dad a dechreuais chwerthin. Roedd e'n edrych mor ddoniol! Dechreuodd y lleill chwerthin hefyd, a phan ddwedais i wrthyn nhw am y gath yn neidio allan o'r cwpwrdd cyn brecwast ac yn rhoi sioc i fi, allen nhw ddim stopio.

"Welais i neb yn edrych yn fwy tebyg i ysbryd!" meddai Mel, gan chwerthin nes ei bod hi'n rholio ar y llawr.

"Dylen ni fod wedi gofyn i dy dad ddod i fwyta'r pryfed genwair jeli!" chwarddodd Sara. "Wwww! Wwww! Byddai'r pryfed genwair wedi rhedeg i ffwrdd mewn braw!"

"Byddai'r lleidr yn rhedeg i guddio'n y carchar, petai e'n gweld dy dad yn cerdded ar hyd y stryd!" sgrechiodd Ali.

"Dwi'n falch na neidiodd y gath mas pan oedden ni yn y gegin," meddai Ffi. "Byddwn i wedi cael ffit farwol!" Mae hynny'n wir, os dwi'n nabod Ffi!

Eisteddon ni i lawr i dorri'r gacen, ond allen ni ddim stopio chwerthin. Roedd popeth yn gwneud i ni chwerthin, hyd yn oed pethau bach diniwed. Wyt ti'n gwybod be dwi'n feddwl? Roedd hyd yn oed Ffi'n chwerthin. Roedden ni'n chwifio mwydod jeli, ac yn gwneud i'r corynnod jeli sboncio i'r slwtsh . . . a dechreuon ni ddweud storïau iasoer. Eisteddon ni yn y tywyllwch a meddwl am bob math o syniadau dwl. Roedd y stori'n mynd yn fwy a mwy gwallgo bob munud.

Mel ddechreuodd y stori. Dwedodd ei bod wedi clywed am fenyw heb ben. Am hanner nos roedd y fenyw'n crwydro rownd y tŷ lle oedd Rhywbeth Erchyll wedi digwydd.

Wedyn dwedodd Sara bod y tŷ yn ymyl ei thŷ hi, achos roedd hi'n aml yn clywed sŵn sgrechian a griddfan rhyfedd yn y nos. Dwedodd bod dau gi yn udo, er doedden nhw ddim yn swnio'n debyg i gŵn go iawn.

Ali oedd nesa. Yn yr hen amser, meddai hi, roedd pobl yn credu bod ysbrydion aflan yn troi'n gŵn, a dyna beth oedd y ddau gi hyn. Fe fuon ni i gyd yn disgrifio'r cŵn—"llygaid coch fel tân!" "cegau glafoeriog!" a "dannedd hir, enfawr!"

"Ac wedyn," meddai Ali mewn llais dwfn, dychrynllyd, "dechreuodd un o'r cŵn aflan gripian a chropian ar hyd y hewl . . . nes gweld—"

"Bethan Bwystfil!" gwaeddais. "A dyma'r ddau gi'n troi ac yn dianc am eu bywydau!" A dechreuon ni wichian chwerthin unwaith eto.

"Dydyn ni ddim wedi chwarae'r tâp eto," dwedais o'r diwedd. "Ffi, os gwna i gynnau'r golau, wyt ti'n fodlon i ni wrando arno? Cofia, mae sŵn bwystfil go iawn ar ddiwedd y tâp!"

Tynnodd Ffi wyneb hir. Roedd hi'n mynd i wrthod, ond ar ôl i ni fegian arni, cytunodd o'r diwedd.

"O'r gore," meddai. "Ond rhaid i ni gael golau."

Llithrais allan o'r sach gysgu a dechrau cropian draw at y swits. Wrth gwrs, roedd yn rhaid i fi ddringo dros bawb arall—ac roedd pawb yn gwingo'n wyllt wrth i fi symud fel mwydyn dros y llawr.

"Mwydyn *milain* ydw i!" hisiais. "Dwi'n mynd i'ch dal chi!"

Gwingodd y mwydod eraill yn eu sachau cysgu wrth i fi neidio arnyn nhw. Daliais i fwydod esgyrnog a mwydod meddal a . . .

Iych! Plymiodd fy llaw i ganol y peth mwya oer a gludiog yn y byd i gyd! Ond ches i ddim amser i ddweud gair, achos cydiodd un o'r mwydod eraill yn fy migyrnau a'm llusgo dros y llawr . . . a daeth y peth oer gludiog ar fy ôl. Triais afael mewn rhywbeth, a chlywais sgrech wrth i'm llaw oer ac iychi gyffwrdd ag wyneb Sara.

Dwy sgrech mewn un noson! Drwy lwc, dyw Sara ddim yn sgrechian mor uchel â Ffi—ac roedd ei cheg yn llawn o'r stwff gludiog ta beth. Ond roedd e'n arswydus tu hwnt.

Cododd Ffi a Mel ac Ali ar eu heistedd ar unwaith.

"Be sy'n bod?" meddai Ffi mewn llais bach, crynedig.

"Sh! Byddwch yn dawel," dwedais. "Neu fe fydd Mam yn dod."

Ces afael ar swits y golau a'i wasgu.

Roedd gan Sara slwtsh gwyrdd ar ei hwyneb, ac roedd gen i slwtsh ar fy llaw. Roedd streipen hir o slwtsh ar y carped, lle ces i fy llusgo—ond o leia ro'n i'n gwybod mai dim ond jeli oedd e. Pan rois i fy llaw ynddo fe, doedd e ddim yn teimlo fel jeli. Ond dyna sy'n digwydd yn y tywyllwch.

Es i â Sara i 'molchi, a chydiais yn y tywel. Roedd y carped yn edrych yn well ar ôl i ni ei rwbio.

"Dim ond dŵr yw e," meddai Ali. "Dŵr yw slwtsh jeli gan mwya. Bydd e wedi sychu erbyn y bore."

Rhag ofn i ni gael damwain arall, fe roeson ni weddill y bwyd ar un o'r gwelyau.

"Welaist ti'r golau lleuad yn dod drwy ffenest y stafell 'molchi?" meddai Sara, wrth i ni ddringo'n ôl i'n sachau cysgu. "Dylsen ni agor y llenni. Mae o mor ddisglair."

"Beth am y tâp?" gofynnodd Ffi.

"Fe chwaraewn ni'r tâp mewn munud," dwedais. "Dewch i ni edrych ar y golau lleuad gynta."

Agoron ni'r llenni a diffodd y golau. Roedd Sara'n iawn. Roedd y lleuad yn ddisglair *iawn*—bron fel golau lamp.

"Agor y ffenest," meddai Ali. "Mae fel golau ddydd tu allan."

Agoron ni'r ffenest, a syllu ar yr ardd. Roedd hi'n dawel iawn, ac roedd y lleuad yn taflu cysgodion hir ar draws y llwybr.

"Mae'n edrych fel gwlad y tylwyth teg!" meddai Ffi'n dawel.

Roedden ni i gyd yn dawel am foment wrth i ni syllu ar yr ardd. Ac yna fe welson ni rywbeth. Roedd rhywbeth—rhywun—yn dringo'n ofalus dros y ffens. Dros y ffens *i'n gardd ni.*

PENNOD
NAW

Wnaeth neb sgrechian. Na, wnaethon ni ddim—dim hyd yn oed Ffi. Roedd e'n od iawn. Ond rywsut roedd y syniad o gael lleidr yn torri i mewn i'r tŷ yn fwy brawychus *o lawer* na'r lleidr ei hun. Neu falle'n bod ni'n teimlo'n ddigon diogel mewn tŷ mawr gyda phob drws ar glo a Mam lawr stâr. A hefyd, dyn bach tenau, main oedd y lleidr—nid un mawr, ffyrnig.

"Wyt ti'n meddwl mai lleidr ydy o?" sibrydodd Sara.

"Siŵr o fod," sibrydais innau.

Rhwbiodd y lleidr ei ddwylo ar ei drywsus ar ôl disgyn o'r ffens. Gwelson ni e'n edrych ar y tŷ—*ein tŷ ni!*—ac yna'n cripian drwy'r planhigion a'r llwyni tuag at y llwybr. Roedd e'n symud fel cath, neu anifail y nos.

"Dylsen ni ddweud wrth Mam," sibrydais, ond chodais i ddim. Wedi'r cyfan, doedd e ddim wedi gwneud dim byd o'i le eto. Dim ond cerdded at y llwybr . . .

Iaaaaawwwwwww! Sgreeeeeeech! Wwwww-aaaaaa-wwwww! Iiiiiiiiiiaw!

Roedd y sŵn yn dod o'r recordiwr tâp, sŵn digon byddarol i hollti dy ben yn ddau. Neidiais i gan metr i'r awyr—ond neidiodd y lleidr yn uwch fyth. Neidiodd fel petai wedi cael sioc drydanol miliwn megawat, trodd fel top—a disgyn ar ei gefn gyda chlec enfawr.

Roedden ni wedi'n rhewi i'r fan a'r lle. Pwyson ni dros sil y ffenest a syllu.

"Ydy e wedi marw?" sibrydodd Ali.

"Gwell i fi alw Mam!" dwedais, a rhuthrais i lawr y grisiau.

Roedd Mam hanner ffordd lan y grisiau, ta beth. Roedd hi wedi clywed y sŵn—a oedd yn dal i atsain dros y lle. Ond sylweddolodd ar unwaith fod rhywbeth o'i le—a phan waeddais i, "Mam! Mam! Mae lleidr wedi marw ar y llwybr!" rhedodd at y ffôn.

Wyt ti wedi gorfod deialu 999 erioed? Dwi wedi breuddwydio sawl tro am wneud—a nawr ro'n i'n gwylio Mam! Roedd hi mor cŵl a hamddenol. Byddwn i wedi anghofio fy nghyfeiriad, fy rhif ffôn, fy *enw* hyd yn oed.

"Nawr 'te," meddai Mam, gan roi'r ffôn i lawr gyda chlec. "Ble mae'r lleidr?"

"Paid â mynd mas!" llefais. "Falle mai wedi colli'i wynt mae e! Falle bydd e'n ymosod arnon ni!"

"Dwi ddim yn mynd mas," meddai Mam. "Dim ond edrych drwy'r ffenest."

Tawelodd y tâp yn sydyn. Daeth Ali i ben y grisiau. "Mae e'n dal ar lawr!" sibrydodd. "Mae e'n symud rhywfaint—ond dyw e ddim yn codi!"

Rhedodd Bethan i'r cyntedd. "Be sy'n bod?" meddai a syllodd yn gas arna i. "Rhagor o driciau bach dwl dydd Gwener y trydydd ar ddeg, ife?"

"Bethan," meddai Mam. "Cer yn ôl i'r stafell fyw. Paid â phoeni."

Ro'n i mor falch o Mam! Roedd hi mor ddigyffro. Roedd lladron ffyrnig yn llechu yn ein gardd, ond roedd Mam yn gadarn fel y graig!

Syllodd Bethan yn gas arna i eto a diflannu.

Pan edrychon ni drwy ffenest y stafell fwyta, roedd hi'n haws o lawer gweld y lleidr. Un go fach oedd e.

"Dyw e ddim yn gwisgo mwgwd," dwedais.

"Na," meddai Mam. "A dyw e ddim yn gwisgo crys streipiog du a gwyn nac yn cario bag ar ei gefn gyda'r gair YSBAIL arno, chwaith!"

Dechreuodd y lleidr symud. Roedd e'n stryffaglio i godi ar ei eistedd, ond roedd rhywbeth o'i le ar ei goes.

"Jiw!" meddai Mam yn sydyn. "Mae e wedi cael dolur cas! Edrych! Mae e'n eistedd mewn pwll o waed! Druan ag e! Gwell i fi fynd i helpu."

"O!" dwedais, ac mewn fflach ro'n i'n deall beth oedd wedi digwydd. Ro'n i'n gwybod pam bod y lleidr wedi baglu a chwympo. Roedd e wedi llithro ar ein llwybr ni!

"Aros, Mam!" dwedais. "Nid gwaed *go iawn* yw e. Pwdin Ali yw e. Toddodd y pwdin a—ym—diferu ar y llwybr. Dyna pam gwympodd y lleidr!"

Roedd Mam yn agor ei cheg i ddweud rhywbeth, pan glywson ni sŵn ceir yr heddlu.

DI—DO—DI—DO—DI—DO.

Dwi wedi'u clywed nhw gannoedd o weithiau o'r blaen, ond roedd hyn yn wahanol. Roedden nhw'n dod *i'n tŷ ni*! Clywodd y lleidr nhw hefyd, a stryffaglu i godi eto—ond methodd.

Aeth Mam at y drws ffrynt. "Helen," meddai, "cer yn ôl i'r llofft."

"Ond Mam—" protestiais.

"Cer!" Pan mae Mam yn siarad fel 'na, does dim dadlau i fod, felly i ffwrdd â fi! Glou!

Cydiodd Sara, Mel, Ali a Ffi yndda i wrth i fi gamu drwy'r drws. Dechreuodd pawb siarad ar draws ei gilydd.

"Glywson ni'r ceir!"

"'Drychwch! Mae e'n trio symud!"

"'Co'r heddlu! Galla i weld golau'r ceir."

"Pam baglodd e? Ydy e'n iawn?"

Ac yna dyma bedwar plismon yn rhuthro drwy'r ardd. Roedden nhw'n cario'r pedwar tortsh mwya a welaist ti erioed—a disgynnodd un ar ei liniau i weld a oedd y lleidr wedi cael dolur.

"Mae gwaed dros bobman, Sarj," meddai plismon mawr. "O ble mae e wedi dod?"

Plygodd plismon arall ac anelu ei dortsh at y llwybr. Daliais i ac Ali ein hanadl. Roedd ein llwybr gwaed yn edrych yn goch iawn dan olau'r tortsh. Yna cododd y plismon a gwelson ni e'n gwenu. Fflachiodd ei ddannedd dan olau'r lleuad. "Nid gwaed yw e, Sarj. Jam yw e—neu rywbeth tebyg!"

"Be sy'n bod? Oes rhywun wedi cael dolur? Dwi'n ddoctor!" Dad oedd yn rhuthro i'w chanol hi. Roedd yn union fel gwylio'r newyddion ar y teledu! Ond roedd e'n digwydd go iawn—a ninnau yn ffenest y stafell wely yn gwylio'r cyfan!

"Wel, syr, fyddech chi mor garedig ag archwilio'r dyn ifanc 'ma?" meddai un o'r plismyn.

Gwylion ni Dad yn archwilio'r lleidr dan olau'r pedwar tortsh.

"Hmm," meddai Dad. "Mae e wedi torri ei bigwrn, dwi'n meddwl. Gwell i chi fynd ag e i'r ysbyty i gael pelydr-X." Yna'n sydyn plygodd dros y lleidr a syllu i fyw ei lygaid. "Aros funud! Dwi'n dy nabod di! Roeddet ti'n loetran o flaen y syrjeri wythnos ddiwethaf. A gwelais i ti'n trio agor drysau ceir yn y maes parcio!"

Edrychodd y sarjant yn gyffrous iawn. "Allech chi dyngu mai fe yw e, syr?"

"Yn bendant!" meddai Dad. "Ond beth sy'n digwydd? Pam mae pawb yn fy ngardd i?"

Ro'n i bron â marw eisiau dweud wrth Dad ein bod ni wedi dal y lleidr—ond wnes i ddim. Roedd Mam newydd fynd mas, felly gwell oedd gadael iddi hi egluro. Daliais i ati i wylio gyda'r lleill.

O leia, fe ddaliais ati am un funud—nes i'r golau ffrydio'n sydyn drwy'r stafell. Yn sefyll yn ffrâm y drws roedd Rebecca.

Does yr un lleidr yn y byd mor ffyrnig â Rebecca pan fydd hi mewn tymer ddrwg—ac roedd hi nid yn unig mewn tymer ddrwg, ond mewn tymer ddrwg iawn iawn *iawn*. Gwaeddodd a bloeddiodd a sgrechiodd—a galw bob enw dan haul arnon ni. Ac roedd yn rhaid i Bethan gael ei phig i mewn. Bob tro oedd Rebecca'n arafu, roedd Bethan yn dangos rhyw lanast arall iddi—y streipen werdd ar y carped, neu'r lamp wedi torri, neu'r briwsion cacen dros bobman, neu'r tâp yn ei stereo hi.

Ddwedon ni 'run gair. Fyddai Rebecca ddim wedi gwrando ta beth.

TA TA

O'r diwedd ffarweliodd Mam a Dad â'r plismyn, a dod yn ôl i'r tŷ. Aeth y lleidr i ffwrdd gyda'r plismyn yn y car.

Cyn gynted ag yr oedd Mam o fewn clyw, dechreuodd Rebecca weiddi ar dop ei llais. "Dewch i weld!" sgrechiodd. "Dewch i weld y llanast yn fy stafell i! Mae hi'n *gwbod* nad yw hi ddim i fod yn y stafell—ac mae ei ffrindiau bach cas yno hefyd, ac maen nhw wedi *difetha*'r lle!"

Ddwedodd Bethan 'run gair, dim ond gwenu'n slei.

Daeth Mam a Dad drwy'r drws a dododd Dad ei fraich am ysgwyddau Rebecca—ond winciodd arnon ni ar yr un pryd. "Fe glirian nhw dy stafell di yn y bore," meddai. "Dwi'n gwbod eu bod nhw'n cael syniadau dwl—ac mae rhai'n ddylach na'i gilydd—ond mae heno ychydig bach yn wahanol. Ti'n gweld, mae dy chwaer a'i ffrindiau newydd ddal lleidr!" A dyma fe'n arwain Rebecca a Bethan i ffwrdd yn garedig.

Byddet ti'n disgwyl i ni gael medal am ddal y lleidr, yn byddet ti? Neu wobr. Pan wyt ti'n darllen llyfrau, mae plant wastad yn cael gwobr enfawr. Ond beth gawson *ni*? Bore o waith caled yn stafell Rebecca!

Ond roedd ein llun yn *Yr Herald*. Daeth dyn papur newydd i dynnu llun y criw ohonon ni'n gwenu fel gatiau! Gofynnodd y dyn a oedden ni'n arfer chwarae gêmau dal lladron a phob math o gwestiynau eraill. Roedden ni wrth ein boddau! Roedden ni'n meddwl y bydden ni'n enwog drwy'r dre. Roedden ni'n disgwyl i bawb redeg ar ein holau a gwneud ffŷs fawr ohonon ni, ond pan ymddangosodd y papur, roedden ni'n swnio fel plant bach chwech oed. Fe ges i fy mhryfocio am oesoedd gan Rebecca a Bethan.

Ydy, mae Rebecca'n siarad â fi nawr. Ac mae hi wedi ymddiheuro am ddweud bod fy ffrindiau'n gas! Does dim o'i le ar Rebecca.

Dyw hi ddim yn dal dig, 'run fath â Bethan. Ond cofia, dwi'n gorfod prynu lamp newydd iddi a thalu am lanhau'r carped. Mae Mam yn tocio fy arian poced i dalu am bopeth—dyna sy'n deg, meddai hi.

Roedd rhaid i ni sgrwbio llwybr yr ardd hefyd. Ro'n i'n meddwl y byddai'r plismyn am weld ôl traed y lleidr yn cerdded ar hyd y llwybr, ond fel dwedodd Dad, beth fyddai'r pwynt? Roedden nhw wedi dal y lleidr yn barod. Felly, roedd rhaid i'r Clwb Cysgu Cŵl fwrw ati gyda'u brwsys a dŵr a sebon. A dweud y gwir, fe gawson ni hwyl. Roedd y lle'n llawn bybls . . .

Ac o leia chawson ni mo'n cosbi na'n cadw yn y tŷ, felly rydyn ni'n mynd i gael cyfarfod arall cyn bo hir—wela i di yno, gobeithio. Dwi ddim yn meddwl y bydd e mor gyffrous â dydd Gwener y trydydd ar ddeg—ond pan fydd y Clwb Cysgu Cŵl o gwmpas, pwy a ŵyr?

O.N. Rhag ofn dy fod yn crafu dy ben yn ceisio dyfalu, dwi wedi dod yn ôl i ddweud wrthot ti. Neu falle dy fod ti wedi dyfalu pwy wnaeth chwarae'r tâp—a dychryn y lleidr am ei fywyd. Wnes i ddim dyfalu. Allwn i ddim credu pan ddwedodd Ali wrtha i. Ffi wnaeth! Mae'r hen Ffi'n ddigon ciwt wedi'r cyfan . . .

Wela i di!

1

Mae Nia'r Urdd wedi colli ei chariad.
Does dim i'w wneud felly on chwilio
am gariad newydd iddi. Mae'r merched
yn gwybod yn union pwy i'w ddewis—Harri Hync.
Ond sut mae trefnu dêt rhwng y ddau? Wrth iddyn
nhw gysgu'r nos yn nhŷ Ali, mae'r merched yn
cynllunio. Ond dyw hi ddim yn hawdd!

2

Iym! Mae'r merched wedi coginio bwyd blasus
ar gyfer y wledd ganol nos, ond dyw Ffion
ddim yn bwyta, na Mel chwaith.
Beth sy'n digwydd pan mae'r ddwy'n
dihuno yn oriau mân y bore?
Rhaid i bawb sleifio i lawr i'r gegin . . .

3

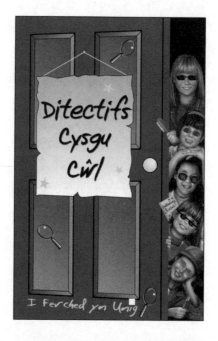

Pan mae Losin, cath Mel, yn diflannu,
mae'r Clwb Cysgu Cŵl yn benderfynol
o ddod o hyd iddi. Ond gwaith anodd
yw bod yn dditectifs! Mae gan yr hen
wraig drws nesa lond lle o gathod.
Ai hi sy'n euog o ddwyn Losin?